LES PLAGES DU DÉBARQUEMENT

TEXTE
YVES LECOUTURIER

Éditions Ouest-France

MEMORIAL
CAEN NORMANDIE

NORMANDIE
TERRE-LIBERTÉ

« *Passant, recueille-toi* »

(STÈLE DE LUC-SUR-MER)

SOMMAIRE

UNITED WE WIN

Les préparatifs

Dès l'été 1940, en créant un commandement des opérations combinées, Winston Churchill, Premier ministre britannique, marque sa volonté de continuer la lutte et de participer activement à la libération de l'Europe. Roosevelt et Churchill se rencontrent une première fois en août 1941 à Terre-Neuve et concluent la charte de l'Atlantique. Quelques jours après le raid japonais sur Pearl Harbour en décembre 1941, Roosevelt et Churchill se rencontrent à nouveau afin de définir une stratégie commune contre les forces de l'Axe et en particulier contre l'Allemagne. La conférence de Washington décide la création d'un état-major commun, le Combined Chiefs of Staff. Le 24 janvier 1943, Roosevelt, Churchill, de Gaulle et le général Giraud se réunissent à Casablanca avec leurs chefs d'état-major et décident de lancer le débarquement sur les côtes du nord-ouest de l'Europe afin de vaincre l'Allemagne : « *La guerre sera poursuivie jusqu'à la reddition sans conditions des puissances adverses* ». Cette décision s'accompagne de la création d'un état-major conjoint interarmes ou COSSAC : Chief Of Staff to the Supreme Allied Commander (Chef d'état-major du commandant suprême allié). Confié au général anglais Frederick Morgan le 12 mars 1943, la mission est d'élaborer une vaste opération amphibie afin d'établir une tête de pont sur le continent et de développer

La conférence de Casablanca, le 24 janvier 1943.

une attaque décisive vers le territoire allemand. Officiers américains et britanniques commencent ainsi à travailler ensemble et le 28 mars ils se retrouvent en grand secret en Ecosse.

Trois plans sont mis en chantier : Starkey, une opération de diversion en 1943, Rankin, une attaque à tout moment en cas de désintégration allemande et Overlord, opération de débarquement en mai 1944. Le choix du site de débarquement va alors se porter vers la Normandie pour des raisons de météorologie et de vent, et également du fait que les plages sont d'accès facile et moins défendues. Depuis 1941, des commandos britanniques sont intervenus principalement sur les côtes du Calvados : Luc-sur-Mer le 28 septembre 1941,

Page de gauche :
Affiche de propagande américaine.

5

*L'état-major allié :
assis de gauche
à droite :
Tedder,
Eisenhower,
Montgomery.
Debout de gauche
à droite :
Bradley,
Ramsay,
Leigh-Mallory,
Bedell-Smith.*

Maquette de Pegasus Bridge.

Saint-Aubin-sur-Mer dans la nuit du 27 au 28 septembre de la même année ou Saint-Laurent-sur-Mer dans la nuit du 17 au 18 janvier 1942. Ce sont pour l'essentiel des raids de reconnaissance. Le 19 août, lord Louis Mountbatten, cousin du roi George VI, responsable des opérations combinées, lance la 2e division canadienne sur les défenses allemandes à Dieppe, mais l'opération Jubilee est un échec cuisant, plus de 4 300 hommes étant tués, blessés ou disparus. Toutefois, les Alliés en tirent nombre d'enseignements pour un futur débarquement sur le littoral normand. Cette même année 1942, le général George Marshall établit le plan Round-Up de débarquement allié sur les côtes de la Manche, mais les Britanniques le jugent prématuré. En mai 1943, la conférence Trident de Washington reprend l'essentiel de ce plan qui devient l'opération Overlord (Seigneur suprême) : elle est approuvée en août lors de la conférence Quadrant à Québec et est planifiée pour le mois de mai 1944. Le COSSAC se transforme alors en organisme opérationnel. Les opérations de débarquement se suivent et s'améliorent : opération Torch en Afrique du Nord le 8 novembre 1942, opération Husky le 10 juillet 1943 en Sicile et débarquement à Anzio en janvier 1944 : en novembre 1943, quatre divisions américaines et trois britanniques expérimentées sont ramenées d'Italie et d'Afrique. En décembre 1943, le commandement suprême d'Overlord (SHAEF : Supreme Headquarters Allied Expeditionnary Forces) est confié au général Dwight Eisenhower. Il prend pour adjoint sir Arthur Tedder, Bertram Ramsay supervisant les opérations maritimes, Trafford Leigh-Mallory, les opérations aériennes et Walter Bedell-Smith devient son chef d'état-major. La direction des forces terrestres est confiée conjointement à Omar Bradley et à Bernard Montgomery. En janvier 1944, Eisenhower

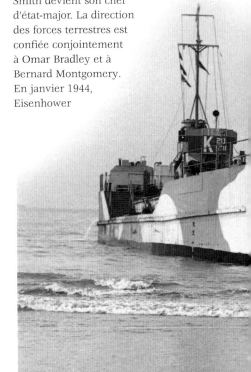

se voit préciser sa mission dans ces termes ; « *You will enter the continent of Europe and, in conjonction with the other united nations, undertake operations aimed at the heart of Germany and the destruction of her armed forces* » (Vous pénétrerez en Europe, et conjointement avec les autres nations alliées, vous entreprendrez des opérations dont le but sera le cœur de l'Allemagne et la destruction de ses forces armées). En février 1944, celui-ci confie à sir Bernard Montgomery le soin de réviser le plan de débarquement : le front est élargi de 40 à environ 80 km, depuis l'estuaire de l'Orne (Calvados) jusqu'aux dunes de Varreville (Manche) et doit être attaqué par cinq divisions d'infanterie et trois divisions aéroportées. Dans le même temps, l'opération de débarquement sur la Côte d'Azur est reportée au 15 août.

Depuis l'échec de l'opération Jubilee devant le port de Dieppe, il n'est plus question d'attaquer de front un port. Les Alliés vont alors concevoir, selon une idée de Winston Churchill, un port artificiel afin de débarquer hommes et matériel : le port est préfabriqué en Angleterre, puis est convoyé à travers la Manche et est assemblé sur place. Vingt mille ouvriers vont réaliser les éléments du port artificiel en quelques mois. On tente de trouver une solution à tous les problèmes logistiques posés par le débarquement, comme par exemple l'acheminement du carburant depuis l'île de Wight jusqu'à Cherbourg ou les chars amphibies. Il convient

également de trouver des navires pour transporter soldats et matériels. Tout le sud de l'Angleterre devient alors un gigantesque camp militaire strictement isolé de la population environnante. Les soldats sont soumis à de nombreux exercices. Par exemple en mai 1944, à Slapton Sands dans le Devon, se déroule l'exercice Fabius : les troupes d'assaut des 1re et 2e divisions américaines réalisent un débarquement amphibie répétant ce qui va se dérouler dans le cadre de l'opération Overlord. Ces exercices se révèlent meurtriers avec plus de 900 morts.

Les chasseurs parachutistes britanniques des troupes aéroportées répètent inlassablement la prise du pont de Bénouville jusqu'à connaître les moindres recoins de la maquette.

Trois conditions commandent la fixation du jour du débarquement : une demi-marée haute pour les navires, un assaut à l'aube et une nuit de pleine lune pour les troupes aéroportées, mais elles ne sont réunies

Exercice Fabius, Slapton Sands, Devon, mai 1944.

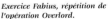

Exercice Fabius, répétition de l'opération Overlord.

*Embarquement des troupes
canadiennes.*

que quelques jours par mois : en juin 1944, ce sont les 5, 6 et 7. Le 17 mai, Eisenhower fixe la date au lundi 5 juin, avec report possible au mardi ou au mercredi.

Les Alliés préparent minutieusement ce débarquement qui doit les conduire à la libération de l'Europe. Pour réussir, ils doivent s'imposer rapidement aux Allemands par la maîtrise conjointe des mers et des airs. En 1943, les usines américaines produisent 30 000 chars et 86 000 avions. L'ensemble est acheminé en Angleterre par des Liberty ships tandis que les hommes, à raison de 150 000 par mois, voyagent en paquebots. Au début du printemps, toutes les voies de communication routières et ferroviaires sont systématiquement bombardées afin d'isoler le nord-ouest de la France. A partir du mois d'avril, toutes les défenses côtières du Mur de l'Atlantique sont visées. En juin 1944, les forces aériennes alliées (Bomber Command britannique et Strategic Air Force américain) disposent de plus de 11 000 avions dont 3 500 chasseurs et

depuis le mois de mai 1943 quand l'amiral Doenitz décide de se retirer de l'océan Atlantique. La bataille de l'Atlantique a commencé en 1939, mais s'est accrue en 1940 avec la prise de ports français par les Allemands. Jusqu'en mai 1943, les sous-marins allemands font la loi dans l'océan : entre mai et août, 97 sous-marins sont coulés. De leur côté, les Alliés mobilisent tout ce qui flottait. Au jour J, chacun des 187 navires de guerre alliés se voit fixer un objectif très précis. A cette maîtrise des mers s'ajoute celle des airs permettant d'aller bombarder et pilonner l'Allemagne, mais aussi la France où sont visés les ouvrages du Mur de l'Atlantique, les stations radar, les ponts ou les voies ferrées. Au total, près de 80 000 tonnes de bombes sont déversées dans les deux mois précédant le débarquement.

A la veille du 6 juin, 1,7 million d'Américains sont arrivés. Au total, les armées alliées rassemblent près de 3 millions de soldats répartis en 39 divisions : 20 américaines, 14 britanniques, 3 canadiennes, 1 polonaise et 1 française. Un million viennent du Commonwealth. Le reste se compose de formations françaises, belges, norvégiennes, polonaises, tchèques et néerlandaises.

Afin de tromper les Allemands sur leurs intentions, les Alliés mettent au point l'opération Bodyguard qui veut leur faire croire que le débarquement aurait lieu après le mois de juillet et que son site reste indéterminé. Parmi les supercheries mises en œuvre, la plus notable est l'opération Fortitude. Il s'agit de convaincre les Allemands que la tête de pont d'un débarquement allié serait dans le Pas-de-Calais. Pour ce faire, une armée fantôme est créée de toutes pièces et est composée de leurres avec par exemple des décors en carton-pâte ou des Jeep et des blindés en caoutchouc gonflable. Pour que l'intoxication soit complète, non seulement des fuites sont distillées dans la presse, mais surtout le commandement de cette armée fantôme est confié à George Patton. Les espions du IIIe Reich confirment ce simulacre de préparatifs. Malgré

5 000 bombardiers alors que les Allemands n'ont plus que 500 avions. Le jour J, les avions alliés effectuent près de 15 000 sorties quand la Luftwaffe ne peut en faire que 300 ! Elle est ainsi quasiment absente sur les plages du débarquement. John Flag, dans son ouvrage « L'US Army Air Force dans la Deuxième Guerre mondiale », écrit : *« Les aviations anglo-américaines firent plus que faciliter l'invasion historique du 6 juin 1944, elles la rendirent possible ».*

Cette supériorité aérienne se double d'une maîtrise sur les mers

*Sentinelle allemande
sur le Mur de l'Atlantique.*

quelques incidents mineurs, le grand secret du jour J va être conservé jusqu'au bout.

Les résistants de France et de Belgique ont été et demeurent mobilisés pour la recherche des renseignements afin de connaître tous les dispositifs allemands, leurs implantations et surtout tous les déplacements d'unités. L'apport de ces renseignements, à commencer par le vol du plan du Mur de l'Atlantique en mai 1942 par un résistant, contribue grandement à la préparation d'Overlord. A l'exception de la présence de la 352e division d'infanterie allemande venue en manœuvre dans le Bessin, les Alliés savent exactement où sont stationnées toutes les autres.

Les Normands n'ignorent pas qu'un débarquement est possible sur leurs côtes. Les évacuations se font plus nombreuses en 1943 et en 1944. En 1943, Cherbourg, transformé en forteresse, voit la majeure partie de ses habitants évacués vers le sud du département. La côte du Bessin et la zone allant de Cabourg à Honfleur subissent le même sort en mai 1944. L'idée de débarquement chemine ainsi dans les esprits des Normands. Au

mois de janvier 1944, un rapport des renseignements généraux note que « *chacun vit dans l'attente de grands événements* ». On espère ce débarquement d'abord pour la mi-mars, puis en avril mais en vain. Tant les nombreux préparatifs allemands que l'intensification des bombardements amènent les autorités à considérer ce débarquement proche. Ainsi, le sous-préfet de Vire note le 25 avril 1944 : « *C'est le débarquement anglo-américain jugé imminent qui est à l'ordre du jour* ». Joseph Poirier témoigne de cet état d'esprit de nombreux Normands au printemps 1944 : « *Nous savions bien que la délivrance approchait, que l'heure de la libération sonnerait, mais égoïste-*

ment nous pensions que le débarquement s'effectuerait ailleurs et que notre région serait épargnée comme elle l'avait été miraculeusement en 1940. La Providence en avait décidé autrement ».

Côté allemand, le commandant en chef des armées pour l'Ouest est le maréchal von Rundstedt, mais il est fort mal à l'aise, n'ayant guère de marges de manœuvre. En outre, son adjoint, Erwin Rommel, s'adresse personnellement au Führer. Von Rundstedt ne croit pas à la capacité du Mur de l'Atlantique de défendre efficacement les littoraux de l'Europe : il le considère comme « un bluff gigantesque, moins pour l'ennemi qui savait à quoi s'en tenir grâce à ses agents et à d'autres sources d'information que pour le peuple allemand ». La décision avait été prise le 29 septembre 1942 de construire d'ici à l'été 1943 15 à 20 casemates par kilomètre de ligne littorale. En juillet 1943, seulement 8 des 15 000 sont achevées. Considérant que l'objectif ne pourrait pas être atteint, Hitler fait porter ses efforts sur le Pas-de-Calais : 517 000 obstacles, dont 31 000 mines, y sont disposés.

En revanche, Rommel pense qu'il peut jouer un rôle décisif, sous réserve qu'il soit sérieusement renforcé. Il fait alors construire en quelques mois 4 000 ouvrages et installer sur les plages des pieux de bois enfoncés par milliers dans le sable ainsi que des blocs de béton et des obstacles de toute nature. Les dunes sont minées et les sorties de plages sont fermées par des réseaux de barbelés ou des murs antichars.

Des milliers d'hectares de champs et de prairies sont inondés et les « asperges de Rommel » y sont plan-

Rommel en Normandie.

Erwin Rommel, maréchal (1891-1944)

Il s'engage dans l'armée en 1910 et est blessé trois fois lors de la Première Guerre mondiale. Il est nommé général en 1939, puis maréchal en 1942. En juin 1940, il traverse la Normandie avec la 7ᵉ Panzer. Héros de la Wehrmacht et apprécié d'Hitler, il est devenu célèbre en Libye à la tête de l'Afrika Korps, ce qui lui vaut le surnom de « Renard du désert ». A la fin de l'année 1943, il inspecte les défenses de l'Atlantique et est nommé à la tête du groupe d'armées B. Parti en Allemagne le jour J, il revient rapidement en Normandie. Il participe au complot des officiers contre Hitler le 20 juillet. Il est grièvement blessé par un avion allié à Sainte-Foy-de-Montgommery. Les circonstances de sa mort, le 14 octobre 1944, restent obscures : selon certains, il meurt des suites de ses blessures, selon d'autres, il est contraint par Hitler au suicide.

Hérissons tchèques.

BUY THAT INVASION BOND!

Affiches de propagande alliée.

tées contre les planeurs. Malgré ces mesures, les Allemands apparaissent diminués par leur infériorité aérienne : au printemps 1944, seuls 500 avions sont en état de voler. Avec environ 700 000 hommes, von Rundstedt doit défendre quelque 5 000 km de côtes. Mais il ne dispose pas des meilleures unités avec une moyenne d'âge élevée et de nombreux « Osttruppen », c'est-à-dire des prisonniers soviétiques ou polonais incorporés de gré ou de force dans l'armée allemande. Enfin, Hitler demeure persuadé qu'un débarquement ne peut se produire que dans un port alors que les Alliés ont abandonné cette possibilité depuis leur échec devant Dieppe. En dépit de cette situation, le moral de certaines troupes est élevé ainsi qu'en atteste celui de la 12e SS Panzerdivision « Hitlerjugend ». Mais le moral de nombreux soldats allemands est au plus bas, considérant que la guerre est perdue.

Enfin, Rommel et von Rundstedt s'opposent sur la stratégie : le premier est partisan d'arrêter le débarquement allié sur la plage alors que le second pense qu'il est préférable de laisser les Alliés débarquer et, par une puissante contre-offensive des divi-

sions blindées, les rejeter à la mer. En opposition avec von Rundstedt, Rommel demande que les réserves de blindés soient basées près du littoral. Hitler tranche en ne lui attribuant que trois Panzerdivisions. Rommel est conscient que toute tentative de débarquement en France doit être combattue immédiatement tant le risque est grand pour l'Allemagne, comme il le déclare à son aide de camp le 22 avril 1944 : « *Croyez-moi, Lang, les premières vingt-quatre heures seront décisives... Le sort de l'Allemagne en dépendra... Pour les Alliés comme pour nous, ce sera le jour le plus long* ».

Pour réussir, les Alliés préparent pendant des mois une vaste opération combinée et mobilisée pour attaquer le 5 juin avec 150 000 hommes, 20 000 véhicules, 11 000 avions et 7 000 navires. A toute action militaire s'ajoute le suivi logistique. Etablir une tête de pont est une chose, mais l'assurer en est une autre. Aux Etats-Unis, au Canada, en Grande-Bretagne et dans l'ensemble du Commonwealth, partout, tout le monde se tient désormais prêt pour aller libérer l'Europe du joug nazi. En témoignent les nombreuses affiches de propagande éditées dans les pays alliés.

1944

1944

YEAR OF DECISION

"The supreme effort has still to be made".

Le débarquement du 6 juin 1944

Deux semaines avant le jour J, les soldats appartenant aux divisions d'assaut sont acheminés vers des camps camouflés situés près des zones d'embarquement. Pour ces soldats, tout contact avec la population environnante ou avec leur famille est alors coupé. Le 1er juin, hommes et matériels prennent place à bord des navires.

Le dénouement approche et plonge les Alliés dans une inquiétude grandissante. Alors que le mois de mai est relativement beau, les premiers jours de juin s'annoncent plus tourmentés. Les services météorologiques constatent qu'une dépression se forme sur l'Irlande et commence à glisser vers le sud. Le 4 juin, l'équipe de météorologues dirigée par le colonel d'aviation Stagg annonce un mauvais temps pour les deux jours à venir avec nuages bas, un fort vent et une mer démontée : or, ce sont ceux prévus pour le débarquement. Ce mauvais temps pour le 5 juin le rend particulièrement difficile. Eisenhower décide son report de vingt-quatre heures au moins. Cette décision entraîne le rappel de navires qui ont déjà appareillé. Quand la tempête s'abat sur le sud de l'Angleterre, Eisenhower se félicite de sa prudence, mais il demeure inquiet pour le jour suivant. Heureusement, les météorologues du colonel Stagg lui annoncent une accalmie pour la matinée du 6 juin pouvant durer tren-

te-six heures. Le commandant suprême des forces alliées décide alors à 4 h 15 du matin de lancer l'attaque pour le 6 juin à l'aube. Tous les navires convergent vers l'île de Wight pendant la journée du 5 afin de traverser la Manche. Le lieu de rassemblement est surnommé « Picadilly Circus ».

Comme les Normands, les Allemands s'attendent depuis quelques mois à un débarquement sur les côtes du nord-ouest de la France. Mais le mauvais temps des premiers jours de juin les convainc que l'assaut allié est momentanément écarté. Ainsi, le 5 juin au matin, Rommel part à Erlingen en Allemagne voir sa famille et rencontrer le Führer. Au même instant, les officiers généraux de la VIIe armée allemande partent se réunir à Rennes. Pendant ce temps, les convois avancent à travers la Manche. Les péniches de débarquement (LCT, Landing Craft Tank) naviguent difficilement à 4 à 5 nœuds. Afin que l'illusion de l'opération Fortitude demeure, les bombardiers de la RAF lâchent dans le ciel du Pas-de-Calais et du pays de Caux de petites feuilles métalliques nommées « windows ».

Dans la soirée du 5, Eisenhower rend visite aux « aigles hurlants », les parachutistes de la 101e division américaine aéroportée. A l'un d'eux, il déclare « *Bonne chance pour cette nuit, soldat* », conscient que les premiers

Embarquement de soldats canadiens.

*Eisenhower s'adresse
aux parachutistes américains
quelques heures
avant leur embarquement.*

pas des soldats alliés sur les plages normandes vont être tragiques.

A partir de 21 heures, la radio anglaise commence à égrener des séries de messages à destination des Français de la Résistance chargés de préparer le terrain à l'opération Overlord. *« Les dés sont sur le tapis »* et *« Les sanglots longs des violons de l'automne »*, *« Blessent mon cœur d'une langueur monotone »* avisent les résistants que le jour J est pour le lendemain. Les Allemands connaissent la signification des vers de Verlaine, mais l'information passe très mal. Le 6 juin, Eisenhower s'adresse à l'ensemble des soldats, aviateurs et marins avant que ceux-ci ne se lancent à l'assaut des côtes normandes : *« Nous n'accepterons que la victoire totale. Bonne chance à tous et implorons la bénédiction de*

Dieu tout-puissant pour cette grande et noble entreprise ». Après minuit, la 6e division britannique de général Richard Gale lance ses planeurs au nord-est de Caen tandis que les parachutistes américains sautent autour de Sainte-Mère-Eglise : Overlord commence. Ces parachutages sont effectués aux deux extrémités du littoral de débarquement afin de protéger l'assaut donné par mer sur les côtes.

Chaque corps d'armée a pour mission d'opérer dans un secteur géographique bien défini avec une mission bien précise. Grâce aux nombreuses photographies aériennes et aux renseignements transmis par les résistants français, les Alliés ont une bonne connaissance du terrain qu'ils abordent. Ainsi le 6 juin, peu après minuit, les parachutistes britanniques entrent les premiers en action au nord-est de Caen. Leur mission est de s'emparer intacts des ponts de Ranville et de Bénouville, alors seuls points de passage sur l'Orne et sur le canal allant de Caen à la mer. L'attaque, répétée plusieurs fois sur une réplique exacte, est menée de main de maître par le major Howard. C'est moins le cas pour les parachutistes américains sautant autour de Sainte-Mère-Eglise et s'égarant dans les marais du centre du département de la Manche : les marécages ne sont pas détectables par la photo aérienne. Ces premiers assauts accompagnés d'un bombardement généralisé de toutes leurs positions ébranlent les Allemands qui n'osent pas encore croire à un débarquement d'envergure. Ces bombardements ont permis la destruction de 74 des 92 stations radar allemandes en Normandie. Appliquant le plan « violet », les résistants normands ont désorganisé les communications : par exemple, le câble téléphonique allant de Cherbourg à Rennes en passant par Saint-Lô est sectionné à Pontaubault par des membres du réseau Résistance PTT. Des informations passent cependant, mais sont insuffisantes pour convaincre l'état-major allemand que le jour J est arrivé. En outre, après avoir écouté de la musique de Wagner dans la soirée du 5, Adolf Hitler dort et il n'est pas question de le réveiller !

A l'aube du mardi 6 juin 1944, devant les côtes des départements de la Manche et du Calvados, une immense armada de 7 000 navires de tous types s'avance. A leur bord, plus de 300 000 hommes ont traversé la Manche par une mer en furie, ce qui en fait souffrir beaucoup du mal de mer. Malgré tout, ils sont prêts à débarquer. Pendant ce temps, avions et navires de guerre lancent des milliers de tonnes de bombes sur le Mur de l'Atlantique. Ce matin du 6 juin 1944, le temps est gris sur les plages du Calvados et de la Manche. Pour les soldats alliés, elles ne sont connues que sous cinq noms de code :

— **Sword Beach**, entre Ouistreham et Lion-sur-Mer, dévolue à la 3e division britannique du général Rennie ;

— **Juno Beach**, entre Luc-sur-Mer et Graye-sur-Mer, dévolue à la 3e division d'infanterie canadienne du général Keller ;

— **Gold Beach**, entre Graye-sur-Mer et Arromanches-les-Bains, dévolue à la 50e division d'infanterie britannique du général Graham ;

— **Omaha Beach**, entre Colleville-sur-Mer et Vierville-sur-Mer, dévolue au 5e corps d'armée américain du général Gerow comprenant la « Big Red One » du général Huebner ;

— **Utah Beach**, sur la côte Est du Cotentin, dévolue au 7e corps d'armée américain du général Collins comprenant la 4e division d'infanterie américaine du général Barton.

Les Américains débarquent à 6 h 30 à Omaha et Utah tandis que les troupes du Commonwealth atteignent les plages de Sword, Juno et Gold à 7 h 30. A 6 h 30, Radio-Berlin annonce le débarquement. Le *New York Times* titre dans son édition du matin : « Les Alliés ont débarqué en France ». La grande invasion est en route. Le général de Gaulle parle à la BBC dans l'après-midi : « La bataille suprême est engagée ». Ce 6 juin vers 10 heures, Hitler apprend que le débarquement se déroule sur les côtes normandes. Il ne semble guère surpris mais considère que ce n'est qu'une diversion et qu'une attaque beaucoup plus puissante va se produire dans le Pas-de-Calais. De ce fait, il n'accepte de déplacer que deux unités blindées vers l'ouest, la Panzer Lehr et la 12e SS Panzerdivision « Hitlerjugend ».

Tract allié lancé par avion le 6 juin 1944 en Normandie. Au dos, « Le général Eisenhower s'adresse aux peuples des pays occupés. »

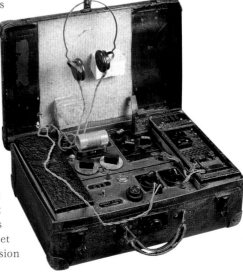

Poste émetteur portatif type MK2 avec lequel la Résistance communique avec Londres.

LES ARMÉES ALLIÉES DÉBARQUENT

Arromanches.

Utah Beach, le 6 juin 1944.

Les opérations de débarquement se poursuivent tout au long de cette journée du 6 juin, tantôt sans grande difficulté comme à Utah Beach, tantôt avec des pertes humaines considérables comme à Omaha Beach. Au soir, les armées alliées sont solidement établies sur les côtes bas-normandes. La plupart des ouvrages de défense et des batteries allemands sont neutralisés. Plus de 150 000 hommes et 20 000 véhicules sont débarqués. En quelques heures, les soldats alliés pénètrent de quelques kilomètres à l'intérieur des terres. Tous les objectifs ne sont toutefois pas atteints, mais les cinq plages de débarquement sont bien tenues. La contre-attaque de la 21e Panzerdivision sur la crête de Périers a été contenue par les Britanniques. L'avancée des armées alliées va toutefois s'avérer plus difficile que prévu, à l'exemple de Caen qui devait être dégagé très rapidement et qui n'est libéré totalement que le 19 juillet, soit plus d'un mois après le débarquement. La résistance allemande se révèle plus farouche que prévu, malgré une absence relative du commandement. Comme le souligne Jean Compagnon, « *ils utilisent bien le terrain, tirent bien, se ressaisissent vite et résistent pied à pied* ». La progression des réserves allemandes vers la Normandie est ralentie par l'action des résistants français : ainsi la 2e SS Panzerdivision « Das Reich » commandée par le général Lammerding, mise en alerte le 6 juin au soir, n'atteint le sud de Caen que le 28 juin ! Même si Hitler proclame que « *chaque homme doit combattre et se faire tuer sur place* », Rommel se montre beaucoup plus pessimiste six jours après le débarquement : « *L'ennemi se renforce sous la protection d'une très forte supériorité aérienne. Notre aviation et notre marine sont incapables de mener une opposition valable. L'ennemi se renforce beaucoup plus vite que n'arrivent nos réserves... Notre position est extrêmement difficile : l'adversaire nous interdit tout mouvement de jour alors qu'il déplace ses forces — même par air — en toute liberté. L'ennemi a une totale maîtrise de l'air sur la zone des combats, et jusqu'à cent kilomètres à l'intérieur* ».

Les jours suivant le 6 juin permettent un élargissement des têtes de pont avec la présence au soir du 12 juin de 16 divisions alliées comprenant plus de 320 000 hommes accompagnés de 54 000 véhicules et de plus de 100 000 tonnes de matériel, ce qui permet aux Alliés dans les semaines suivantes de consolider leurs positions avant d'enfoncer les défenses allemandes. La supériorité aérienne des Alliés se trouve renforcée par la construction à partir du 9 juin d'aérodromes de campagne.

Les combats pour la libération de la Normandie, prélude nécessaire à la libération de l'Europe, vont se faire au prix de lourdes pertes et de nombreuses destructions. Villes, bourgs et villages croulent sous les bombes. La bataille de Normandie se termine dans la poche de Falaise-Chambois par l'encerclement des troupes du IIIe Reich et par leur défaite le 21 août 1944. Désormais, la route vers Paris et vers l'est de la France est dégagée, mais deux mois et demi au lieu des trois semaines prévues ont été nécessaires pour y parvenir.

De nos jours, ces plages du Calvados et de la Manche accueillent chaque année des milliers de touristes, mais chacun de leurs pas est marqué par le souvenir de la

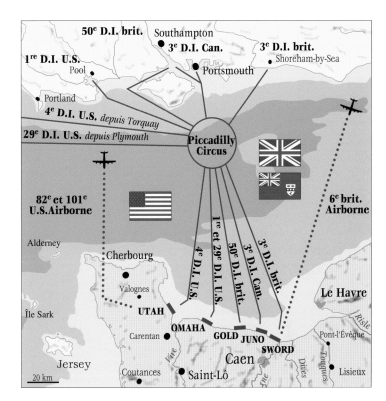

plus grande opération combinée de débarquement de tous les temps. Chaque plage est un lieu de mémoire où celui qui y passe est invité à se souvenir que des milliers d'hommes y sont venus et y sont morts pour la liberté.

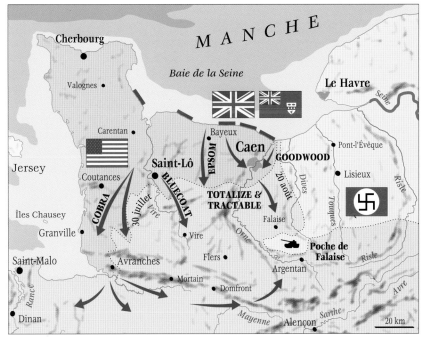

Le secteur britannique aéroporté

A 0 h 20, les parachutistes et les commandos britanniques se lancent à l'assaut du secteur situé immédiatement à l'est de l'Orne.

Ils appliquent la mission définie par le général Richard Gale, commandant la 6ᵉ division aéroportée : « Saisir et tenir les ponts sur le canal de Caen et sur l'Orne, à Bénouville et à Ranville... La prise des ponts intacts est importante pour la conduite des opérations ultérieures ». Cette prise doit permettre à la 3ᵉ division d'infanterie britannique débarquant à Sword Beach de se rendre rapidement à Caen. La 6ᵉ division aéroportée a pour objectif d'occuper le secteur compris entre les rivières Orne et Dives au nord de la route Colombelles-Sannerville-Troarn et de lancer des attaques afin de retarder le mouvement des réserves allemandes venant de l'est et du sud-est. Leur parachutage n'est pas toujours réussi, certains se dispersant dans les marécages inondés et recouverts de brouillards humides. Quatre-vingt-quatre parachutistes canadiens sont faits prisonniers à cause de cette dispersion.

Bénouville et Ranville

A 0 h 20 est lancée l'opération Tonga : elle est la première d'une longue suite d'opérations déclenchées dans le cadre du plan Overlord. Trois planeurs en contreplaqué de type Horsa, après avoir été tirés depuis l'Angleterre par des Stirling ou des Halifax à une altitude de 2 000 m, transportant chacun 30 hommes appartenant au 2ᵉ bataillon d'infanterie légère d'Oxford du Buckinghamshire intégré à la 6ᵉ Airborne se posent sur l'étroite bande de terre séparant le canal de l'Orne, à moins de 50 m du pont basculant de Bénouville. Ils composent la compagnie D de la 6ᵉ Airborne et sont menés par le major John Howard. Dans le planeur de tête, tous clament à tue-tête les rengaines chantées quelques mois auparavant lors de l'entraînement. Au moment de s'écraser à 150 km/h, les soldats se tiennent par les bras. Le planeur se pose à quelques mètres seulement du pont. Willy Parr, soldat anglais de 22 ans, témoigne : « Le pilo-

Le général Richard Gale, commandant de la 6ᵉ division aéroportée britannique.

Page de gauche :
Soldats britanniques à Pegasus Bridge.

Planeurs Horsa.

John Howard

John Howard entre dans l'armée en 1932 et est rattaché aux troupes aéroportées ; il se spécialise dans la prise des ponts et commande ainsi l'attaque du pont de Bénouville : il entre dans la légende de Pegasus Bridge. Grièvement blessé dans un accident de la route en Grande-Bretagne en novembre 1944, il doit quitter l'armée et termine comme fonctionnaire.

Insigne de la 6ᵉ Airborne.

Café Gondrée, Bénouville.

Troupes aéroportées britanniques dans un planeur.

te s'était posé à vingt pas du pont. C'était incroyable ! » Les pilotes des planeurs, Gilder Pilots, appartiennent à l'armée de terre et ont été spécialement formés à l'atterrissage de précision.

Les deux sentinelles allemandes ne se rendent compte de rien et l'effet de surprise est complet. En dix minutes le pont est pris : ce fut la première action victorieuse du jour J. Le major Howard établit son poste de commandement dans un petit café-guinguette appartenant à la famille Gondrée.

Les hommes du major Howard résistent aux contre-attaques allemandes et tiennent le pont jusqu'à l'arrivée de renforts qui n'ont que

deux minutes et demie de retard ! Ce pont est aujourd'hui connu sous le nom de Pegasus Bridge en souvenir des troupes aéroportées britanniques dont Pégase était l'emblème.

Le 6 juin à 13 h 30, le commando n° 4 mené par le lieutenant-colonel Dawson, débarqué six heures plus tôt à Sword Beach, franchit le pont de Bénouville pour rejoindre les hommes du major Howard. Le brigadier S.F. Lord Lovat, commandant de la 1ʳᵉ brigade de service spécial, est suivi de son « piper » personnel Bill Millin jouant « Blue bonnets over the border ». Dans le même instant, le pont de Ranville est enlevé et vigoureusement défendu, les parachutistes repoussant huit contre-attaques allemandes. Cette conquête est annoncée sur la BBC par un court message « Ham and jam » (Jambon et confiture). Depuis le mois de novembre 1993, Pegasus Bridge a été démonté et remplacé par un autre mieux adapté à la circulation contemporaine. Un son et lumière y est organisé chaque été.

La prise de ces deux ponts est la première victoire alliée de la bataille de Normandie. Elle entraîne la libération rapide de Bénouville, où se trouve la première mairie libérée de France métropolitaine.

Le village de Ranville est libéré à 2 h 30 par le 13e bataillon parachutiste du Lancashire. Les soldats britanniques se rassemblent autour du vieux moulin et attaquent la garnison allemande de Ranville. Ce village devient le premier de France métropolitaine à être libéré. Une heure plus tard, le général Gale, après avoir effectué le voyage à bord du planeur Horsa n° 70, établit son poste de commandement dans le bas Ranvillle : son buste est aujourd'hui installé sur la place du 6-Juin. Dans la journée du 6, les parachutistes ont à repousser deux contre-attaques allemandes. A côté de l'église néogothique est établi un cimetière où sont enterrés 2 151 parachutistes et

Mairie
de Bénouville.

commandos britanniques : parmi eux, le lieutenant Dan Brotheridge, premier tué de la bataille de Normandie à l'entrée du pont de Bénou-

1- L'ancien Pegasus Bridge.
2- L'ancien pont démonté.
3- Pegasus Bridge aujourd'hui.
4- Spectacle son et lumière.

1 - Cimetière militaire de Ranville.
2 - Tombe du lieutenant
Dan Brotheridge.
3 - Tombes allemandes à Ranville.

Jean Piron, colonel (1896-1974)

Après l'Ecole militaire, il participe à la Première Guerre mondiale qu'il termine comme capitaine. En 1940 il est nommé sous-chef d'état-major du 5ᵉ corps d'armée belge. Fait prisonnier des Allemands, ses évasions échouent par deux fois, mais il réussit la troisième fois et rejoint l'Angleterre. En 1943, il prend le commandement de la 1re brigade belge et la conduit victorieusement de la Normandie à Bruxelles au cours de l'été 1944.

Stèle sur le vieux moulin de Ranville, à la mémoire de la Brigade Piron.

ville. Ce cimetière contient également 323 tombes allemandes et 5 françaises.

En face, le vieux moulin porte une plaque en souvenir de l'action de la brigade belge de Jean Piron.

Merville

De nos jours, la promenade à pied par les grèves depuis la pointe de Merville jusqu'à l'embouchure de l'Orne est fort agréable. Ici la mer se retire très loin et découvre de vastes bancs sablonneux. Dans les dunes subsistent les vestiges de l'une des trois redoutes construites en 1770 pour la défense de l'estuaire de l'Orne. Au sud du bourg, à 2,5 km du littoral, demeurent les deux blockhaus de la batterie allemande défendue par 130 hommes. Quatre abris bétonnés contiennent quatre pièces de 100 mm d'une portée de 9 km. La prise de cette batterie orientée vers l'estuaire de l'Orne est alors considérée comme l'objectif le plus important de la région après la prise des ponts de

Bénouville et de Ranville. La batterie est défendue par des canons antiaériens, par des projecteurs et est complétée par un bunker d'observation. Sept cent cinquante parachutistes du 9ᵉ bataillon de la 6ᵉ Airborne commandés par le lieutenant-colonel Terence B.N. Otway se sont très durement entraînés pendant plus de deux

mois. Ils sont équipés des moyens techniques les plus modernes. Le 6 juin, les parachutistes se posent vers 1 heure du matin, mais seuls deux planeurs, dont celui d'Otway, se sont posés au bon endroit, la plupart s'étant éparpillés autour de la batterie. Otway réussit en une heure et demie

Casemate de Merville.

à rassembler 150 hommes et décide de se lancer à l'assaut. A 4 h 45, après avoir perdu la moitié de ses soldats, Otway lance une fusée signifiant « objectif atteint ». C'était une demi-heure seulement avant la reprise des bombardements par le croiseur *Arethusa* basé au large. Otway et ses hommes n'y découvrent que de vieux canons tchèques. La garnison allemande a été anéantie : sur 200 hommes, 178 étaient morts ou hors de combat. L'endroit reste très disputé entre les Britanniques et les Allemands, ainsi la batterie change sept fois de main jusqu'au 17 août. Un musée de la batterie est aménagé sur le site afin de rappeler l'audace et le courage de Terence Otway et de ses parachutistes.

Aux alentours

Un certain nombre de parachutistes canadiens du 8e bataillon atterrissent dispersés dans les bois de Bavent. Le bastion allemand de Bréville commande un carrefour d'où partent des contre-attaques sur les points pris par les Alliés. Une stèle dédiée aux parachutistes de la 6e Airborne rappelle les violents combats ayant présidé à la libération de la commune le 13 juin. Dès le matin du 6 juin, les ponts de Troarn, Bures-les-Monts et Robehomme sur la Dives sont neutralisés afin de couper les communications routières, en particulier la route allant de Caen à Rouen, mais ces communes ne sont libérées que le 17 août.

Le site de Merville.

Dans le même temps, les parachutistes canadiens détruisent le pont de Varaville sur la Divette. Non loin, le cimetière de Banneville-Sannerville rassemble 2 175 tombes de soldats britanniques.

Amfreville voit le rassemblement du commando Kieffer et de ceux de lord Lovat le 6 juin. A Hérouvillette, un mémorial au 2e Ox and Bucks et 27 tombes dans le cimetière communal attestent de la violence des combats lors du premier assaut le 7 juin, mais le village n'est libéré que le 18 juillet lors de l'opération Goodwood.

Au soir du 6 juin, la 6e Airborne a réussi à s'emparer des ponts de Bénouville et de Ranville et à neutraliser la batterie de Merville. Vingt-deux planeurs ont été perdus corps et biens, mais les 74 autres ont acheminé 4 310 hommes. La dernière étape est l'opération Mallard avec l'arrivée de 216 planeurs Horsa transportant des hommes et du matériel et 30 planeurs Hamilcar transportant du matériel lourd. Tous se posent au nord de Ranville et près de Saint-Aubin-d'Arquenay. La jonction avec les troupes du général Rennie débarquées à Sword Beach est réalisée. Leur avance n'est toutefois pas assez rapide pour réussir à s'emparer de la ville de Caen au soir du 6 juin.

Le buste du lieutenant-colonel Terence B.N. Otway à Merville.

Stèle-monument de Troarn.

Sword Beach

Les troupes de la 3e division d'infanterie britannique débarquent le 6 juin à 7 h 30 sur les plages de Colleville-sur-Orne, Lion-sur-Mer et Saint-Aubin-sur-Mer. La mission du général T. D. Rennie est de s'installer sur la rive droite de l'Orne, d'établir une liaison avec la 6e Airborne et la 3e division d'infanterie canadienne et de s'emparer de Caen et de l'aérodrome de Carpiquet dès le soir du 6 juin. Ce secteur est défendu par quatre batteries à longue portée : Merville, dont le sort est confié aux troupes aéroportées britanniques, Riva-Bella, Ouistreham et Colleville-sur-Mer. Pour la défense de ce secteur, l'état-major allemand dispose de la 716e division d'infanterie et surtout de la 21e Panzerdivision stationnée au sud de Caen, mais il peut faire appel à 12e SS Panzerdivision « Hitlerjugend » basée près d'Evreux. Confiée au commandement de Kurt Meyer, elle est uniquement composée de jeunes fanatiques nazis âgés de 17 à 20 ans.

Colleville-Montgomery

Le point fort Morris, installé dans plusieurs maisons camouflées derrière une haie, est défendu par une batterie de quatre canons de 105 mm en casemates. Quand l'assaut est donné vers 13 heures par les hommes du First Suffolk Regiment, les défenseurs allemands sortent avec un drapeau blanc et se rendent.

Colleville est surtout défendue par le site Hillman, ensemble bétonné de 600 m de long abritant le quartier général du 736e régiment de grenadiers et protégé par des champs de mines, des réseaux de barbelés et des mitrailleuses. Deux assauts sont nécessaires au First Suffolk pour s'emparer de ce point fortifié vers 20 heures. Le site Hillman, composé de douze ensembles bétonnés semi-enterrés et reliés entre eux par des passages souterrains répartis sur une superficie de 20 ha, est mis en valeur par une association locale.

Débarquement à Sword Beach.

Page de gauche :
Débarquement à Hermanville.

Restes de défenses allemandes à Colleville-Montgomery.

Stèle à Colleville.

La commune de Colleville-sur-Orne est devenue Colleville-Montgomery en souvenir du maréchal Montgomery, commandant du 21e groupe d'ar-mées. La plage est prise dès le 6 juin. Face à un blockhaus se trouve une stèle réalisée par Patrick Heleyns en 1994 à la gloire des libérateurs alliés.

Blockhaus à Colleville-Montgomery.

Vue de la plage.

Ouistreham-Riva-Bella

A 7 h 20, l'artillerie navale ouvre le feu sur Ouistreham et Riva-Bella afin de préparer le terrain aux soldats qui vont débarquer. La batterie équipée de canons de 155 mm défendant la plage de Riva-Bella est déménagée sur ordre de Rommel en mai 1944 et est installée dans les bois de Saint-Aubin-d'Arquenay. A l'est de l'embouchure de l'Orne, la longue plage de Riva-Bella, défendue par un long fossé bétonné, voit débarquer le 6 juin à 8 h 30 les 177 Français du 1er bataillon de fusiliers marins du commando franco-britannique n°4 menés par le capitaine de corvette Philippe Kieffer. Pour la plupart, en majorité bretons, ils ont rejoint le général de Gaulle dès 1940. Ils s'entraînent très durement au camp d'Achnacarry en Ecosse. C'est la seule unité française engagée le jour J. Ils sont intégrés dans la 1re brigade commandée par lord Lovat. A peine débarqués, 30 sont mis hors de combat. Les autres se lancent vers Riva-Bella par la route de Lion-sur-Mer afin de prendre l'ennemi à revers. L'objectif est de prendre le casino transformé en fortin par les défenseurs. L'ancien casino au style anglo-normand a été démoli en 1942 afin d'être aménagé en point fort avec deux canons de 20 mm sur le toit. Un Ouistrehamais, vétéran de la guerre de 1914-1918, guide les bérets verts à travers la cité et leur permet de prendre le casino à revers. L'appui des blindés est toutefois nécessaire pour emporter la décision.

Une villa, située aujourd'hui derrière le monument au commando n° 4, sert de lieu de ralliement aux commandos et de poste médical avancé. L'accès à cette plage est défendu par un point fortifié équipé d'une batterie de six pièces de 155 mm, par des tirs de mitrailleuses et des mines : près de la moitié des bérets verts y périssent. Une coupole en acier abritant des mitrailleuses domine la plage.

Un peu en arrière de la route côtière se dresse le Grand Bunker, une tour en béton de 17 m. Ce bâti-

ment comporte cinq étages dont le dernier est entaillé d'une large fente pour l'observation et pour y

Restes de défense allemande sur la plage de Ouistreham-Riva-Bella.

Philippe Kieffer (1890-1962)

Ce capitaine de corvette, rescapé de Dunkerque, rejoint dès 1940 le général de Gaulle à Londres. Il est d'abord affecté sur le cuirassé Courbet, puis, en 1942, rejoint les commandos britanniques. Il forme avec quelques Français le 1er bataillon des fusiliers marins sous le commandement de lord Lovat. Il participe à l'opération Jubilee sur Dieppe en août 1942. Son commando est la seule unité française à
débarquer le 6 juin.
Il raconte : « A ce moment précis, la terre et la mer semblaient soulevées dans un grondement de tonnerre : bombes de mortier, sifflements d'obus, jappements agaçants des mitrailleuses, tout semblait concentré sur nous. » Il tente ensuite une carrière politique dans le Calvados : il est élu conseiller général d'Isigny en 1945, mais est battu aux législatives en 1946.

Stèle Philippe Kieffer à Ouistreham.

Monument La flamme à Ouistreham.

placer un télémètre affecté au réglage du tir. Un musée du Mur de l'Atlantique y est aujourd'hui installé : au niveau 5, il est possible de scruter l'horizon à l'aide du télémètre et de voir à une distance de 45 km sur un arc de 180°. Non loin de là, un autre musée, le musée N°4 Commando, évoque en la décrivant l'action des bérets verts de Philippe Kieffer. Près du port d'embarquement vers l'Angleterre se trouve un monument-fanal. Ouistreham est libéré à 13 heures, mais seulement 60 commandos français sont encore en état de combattre. Un monument en forme de flamme situé boulevard Aristide-Briand rappelle le sacrifice des Français libres le 6 juin 1944. Placé au-dessus d'une coupole, ce monument en aluminium est l'œuvre de l'artiste caennaise Yvonne Guégan.

Près de celui-ci une stèle rend hommage à Philippe Kieffer.

L'église normande des XIe et XIIe siècles possède un vitrail offert par la Commando Association et honorant l'action des commandos de marine le jour du débarquement. Le dessin a été réalisé par le peintre Raymond Bradley ; à la base du vitrail figure l'inscription « 1939-1945. A la gloire de Dieu ».

Hermanville-sur-Mer

Le débarquement a lieu dans le secteur assez étroit situé entre la brèche d'Hermanville et Lion-sur-Mer. Malgré la houle, les Britanniques réussissent à faire débarquer 21 des 25 chars amphibies mis à l'eau. La commune est libérée le 6 juin vers 10 heures du matin par le South Regiment Lancashire. Au large de cette brèche est sabordé à 2 km du rivage avec le pavillon à croix de Lorraine, symbole de la France libre, le cuirassé *Gustave-Courbet* afin qu'il remplisse son rôle de « blockship », formant ainsi un brise-lames avec six cargos et deux autres navires de guerre. La route côtière a pris le nom de l'amiral Wietzel, dernier commandant du *Gustave-Courbet* ; l'amiral a déposé le drapeau de son cuirassé à la mairie. La chapelle présente des vitraux commémorant le débarquement. Près d'un manoir du XVIIIe siècle est établi un cimetière de 986 tombes de soldats britanniques et de commandos français.

Sur la place du village, le visiteur aperçoit le puits de la mare Saint-Pierre, cité à l'ordre de l'armée britannique pour lui avoir fourni 7 millions de litres d'eau à partir du 6 juin à 19 heures jusqu'au 1er juillet. Une trentaine de robinets sont installés le long du mur du presbytère. Dans les herbages voisins, les Britanniques mettent en place douze hôpitaux de campagne.

Ci-contre :
*Le **Courbet** échoué.*

Le puits de la mare Saint-Pierre, à Hermanville-sur-Mer.

Débarquement à Hermanville-sur-Mer, 6 juin 1944.

Lion-sur-Mer

Alors qu'il inspectait le Mur de l'Atlantique, le maréchal Rommel est photographié en compagnie de ses officiers au débouché de la rue des Bains devant une villa à colombage. Cette commune est libérée dès le 7 juin par le 41e Royal Marine Commando après un combat difficile et le château du Haut-Lion est pris après une résistance de deux heures. Un monument près d'un char rappelle l'action des soldats britanniques.

Luc-sur-Mer

La mer découvre à marée basse une plage de sable et de galets où l'on ramasse une grande quantité de varech. La plage est bordée d'une longue digue-promenade et d'une falaise creusée d'encoches érodées par la mer et le vent que l'on nomme « confessionnaux ». Cette plage a la visite d'un commando britannique le 28 septembre 1941 : le but de ce raid est de prélever du sable et de l'analyser. Une stèle rappelle cet événement avec une invitation au visiteur « Passant, recueille-toi » ; cette stèle commémore également l'arrivée des commandos de lord Lovat et de la 4e Special Service Brigade du brigadier Leicester. Luc-sur-Mer est libéré le 7 juin après un bref engagement au Petit-Enfer mené par le 46e Royal Marine Commando.

L'avancée des troupes britanniques n'est toutefois pas suffisamment rapide, ce qui permet au général Wilhelm Richter, commandant la 716e division d'infanterie allemande, de disposer ses défenses au nord de Caen, dans les bois de Lébisey. Cette mise en place interdit la prise de Caen prévue dans les plans d'Overlord le 6 juin au soir. Toutefois, le général Rennie a réussi la jonction avec les éléments de la 6e division Airborne arrivés tôt le 6 juin de l'autre côté de l'Orne.

Monument 41e RMC à Lion-sur-Mer.

Stèle à Luc-sur-mer.

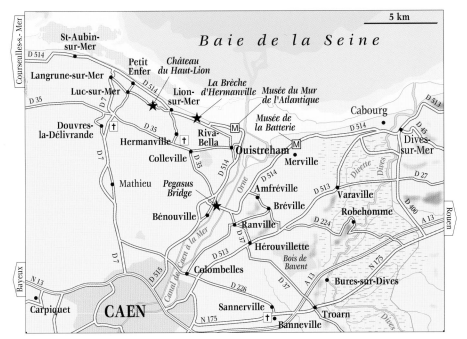

J u n o   B e a c h

La 3e division d'infanterie canadienne du major-général R.F.L. Keller, composée de 15 000 Canadiens et de 9 000 Britanniques, prend pied sur la plage de Vaux à Saint-Aubin-sur-Mer le 6 juin peu avant 8 heures, une mauvaise mer ayant causé un retard de vingt minutes. Sa mission est de se porter vers la ville de Caen et de s'emparer de l'aérodrome de Carpiquet. Ces soldats canadiens ont un très fort désir de revanche sur Dieppe, mais les plages de ce secteur sont défendues par des casemates abritant des canons et des mitrailleuses. Environ 14 000 mines y sont été déposées ainsi que de nombreux obstacles de toute nature. Le système défensif allemand n'est toutefois guère puissant sur cette partie du littoral. Les spécialistes de la Kriegsmarine considèrent en effet que les rochers du Calvados doivent empêcher un débarquement. Le 6 juin, le principal quotidien de Montréal, *La Presse*, salue ce débarquement canadien et titre à la une : « *Les Canadiens vont revoir la Normandie* ».

Troupes prêtes à débarquer.

Page de gauche :
Débarquement à Bernières,
le 6 juin 1944.

Le major-général Keller à
Bernières-sur-Mer.

Batterie à Saint-Aubin-sur-Mer.

Langrune-sur-Mer

Cette cité se caractérise par une belle plage de sable fin bordée d'une digue-promenade et possède une église du XIIIe siècle avec une tour-lanterne coiffée d'une élégante flèche avec des clochetons. La plupart des villas donnant sur le front de mer sont fortifiées par les Allemands. Un pâté de maisons est transformé en point fort et est équipé de canons antichars de 50 mm. Les défenseurs résistent toute la journée du 6 juin malgré le bombardement naval et les tirs de deux chars légers Centaure. La commune est libérée le 7 juin vers 15 h 30 après d'âpres combats, les soldats du commando n° 48 du lieutenant-colonel Moulton devant se battre maison après maison et ouvrant des brèches dans les murs des jardins. Le commando n° 48 perd ici la moitié de son effectif. Le cimetière communal abrite les cendres de deux soldats alliés. Une stèle dédiée au 48e Royal Marine Commando est établie dans un square le long de la digue.

Saint-Aubin-sur-Mer

Dans la nuit du 3 au 4 août 1950, Maurice Duclos, dit Saint-Jacques, revient dans sa commune, envoyé par le général de Gaulle pour estimer les forces allemandes présentes et leurs implantations. Comme à Luc-sur-Mer, cette plage reçoit la visite d'un commando britannique effectuant un raid de reconnaissance dans la nuit du 27 au 28 septembre 1941. Moins de trois ans plus tard, les soldats canadiens y débarquent. Le régiment du North Shore rencontre nombre de difficultés, perdant hommes et chars sur la plage, à cause des défenses allemandes animées par un canon de 50 mm et un grand nombre de mitrailleuses. Après le nettoyage de la plage, les 22 chars amphibies du Fort Garry Horse affrontent une casemate. Le 48e Royal Marine Commando débarque lors de la deuxième vague avec pour objectif la prise de Langrune-sur-Mer. Les soldats tués sur la plage de Saint-Aubin sont enterrés dans le jardin d'une maison proche de la digue. Quant à l'école, elle sert d'hôpital. Sur la digue, à la limite de Bernières-sur-Mer, demeure la batterie de la Cassine. Ce point fortifié est aménagé à l'emplacement d'une villa nommée La Cassine que les Allemands ont rasée pour y installer plusieurs casemates reliées entre elles par des couloirs souterrains ou à ciel ouvert.

Près de la batterie où est toujours visible un canon est implanté le monument dédié au commando n° 48 avec une liste de victimes civiles et militaires.

Monument 48e RMC à Saint-Aubin-sur-Mer.

Bernières-sur-Mer

Sur la plage, longue de 2,5 km, débarquent les Canadiens du Queen's Own Rifles et du régiment de la Chaudière. La plage ressemble à une forêt de pieux tant les obstacles de toute nature sont nombreux. A 4 heures du matin, la plage de Bernières est arrosée de bombes. Pourtant, cette commune est située dans un secteur où il fait bon vivre, comme l'atteste un vieux proverbe normand : « Si tu veux être heureux, va entre Caen et Bayeux ». Quand les péniches abordent Bernières vers 8 h 10, il reste aux soldats canadiens environ 100 m à parcourir avant d'atteindre la plage. Leur débarquement se fait sous un déluge d'obus. Quatre-vingt-dix embarcations sont détruites, beaucoup s'échouant sur les îles de Bernières. Les habitants de cette commune sont surpris lors de leur libération le 6 juin à 9 h 30 d'entendre des « tommies » parler le français ou chanter « J'irai revoir ma Normandie », beaucoup étant de jeunes Québécois d'origine normande engagés pour aller libérer le Vieux Continent. Certains confirment leur francophonie en s'écriant : « *Je n'sommes pas des Anglais, mais des Canadiens français* ». A 11 h 45, le major-général Keller installe son poste de commandement dans l'hôtel de la Plage. C'est également dans ce lieu que sont rédigés les premiers reportages destinés aux agences et à la presse mondiale.

Dès qu'elle est libérée, la plage de Bernières est rapidement embouteillée par les chars, les camions, les chenillettes ou les canons qui s'y entassent.

Douvres-la-Délivrande

Près de cette commune, célèbre par sa basilique Notre-Dame et sa fête annuelle en l'honneur de la Vierge noire, sur la route de Basly, se trouve une station radar allemande ayant pour nom de code « Distelfink » (Le chardonneret). Retirée à 2 km de la mer, cette station peut surveiller tout mouvement de navire venant de Grande-Bretagne. L'ensemble comprend deux radars de type Freya, un de type Wassermann dont la portée est de 300 km et deux de type Würzburg. La station est protégée par des pièces de DCA et des canons antichars et contient un central téléphonique, une station radio, une usine électrique et une soute à munitions. Mais le jour du 6 juin, les Alliés réussissent leur opération de brouillage, si

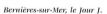

Monument-souvenir à Bernières-sur-Mer.

Bernières-sur-Mer, le Jour J.

Radar « Würzburg ».

Musée du radar à Douvres-la-Délivrande.

graphie claire explique le travail des appareils de détection aérienne ou maritime. A l'extérieur se trouve un radar « Würzburg Riese ». Après avoir été récupérés en 1944 par les Britanniques, trois radars sont cédés à la Marine française, puis donnés à un laboratoire de physique. Deux sont transformés en 1957 en radiotélescopes pour la station de Nançay. Le site du musée présente un de ces deux appareils, rescapé des 1 500 construits par les Allemands à partir du mois d'août 1941.

Libérée le 6 juin, Douvres-la-Délivrande sert de quartier général au général-major canadien George Francœur. Le monastère de la Vierge-Fidèle est aménagé en hôpital. A l'entrée de Douvres, en venant de Caen, se trouve un cimetière britannique de 1 123 tombes des combattants tués sur les plages de Sword et de Juno.

Bény-Reviers

Sur la route de Bernières à Bény, le Fief Pelloquin, château habité par la famille Hettier de Boislambert dont un des membres a rejoint le général de Gaulle dès 1940, devient le premier hôpital anglo-canadien de campagne. Bien que défendue par la bat-

bien que le dernier radar Würzburg ayant résisté aux bombardements aériens ne voit pas l'armada maritime arriver. La station va toutefois résister onze jours aux assauts alliés. La reddition de la garnison composée de 238 hommes est obtenue le 17 juin par des injections de gaz dans les bouches d'aération des bunkers : les indications sont fournies par des Français requis ayant travaillé à leur construction.

Aujourd'hui, le site est occupé par le premier musée du radar. Il permet de comprendre le rôle des radars et leur évolution technique. Une scéno-

Cimetière canadien de Bény-Reviers.

terie des Moulineaux composée de quatre pièces de 100 mm et située sur la commune de Fontaine-Henri, Bény-sur-Mer est libérée par le régiment de La Chaudière dès le 6 juin et un aérodrome de campagne y est construit. La batterie des Moulineaux est bombardée avant 6 heures du matin par les croiseurs *Belfast* et *Diadem*. Entre les communes de Bény-sur-Mer et de Reviers est implanté un cimetière canadien de 2 043 tombes sur 6 ha.

Les communes voisines d'Anguerny et de Tailleville sont également libérées le 6 juin par les soldats canadiens. Le central téléphonique installé dans le château est pris par la 8ᵉ brigade canadienne. Le château devient ensuite un lieu de repos pour les soldats canadiens.

Courseulles-sur-Mer

Ce petit port de pêche renommé pour sa production ostréicole voit débarquer le 6 juin différentes unités canadiennes, en particulier le First Hussars, le Regina Rifles, le Royal Winnipeg Rifles ou le 1ˢᵗ Canadian Scottish.

Le débarquement y est fort difficile. Le régiment de chars Centaure en perd 34 sur les 40 débarqués. Prise sous un feu nourri déclenché depuis deux casemates, une compagnie perd les deux tiers de son effectif. Le combat acharné des Regina Rifles, devant conquérir chaque maison et chaque rue, permet la libération de la commune vers 10 heures. A 8 h 30, le char du sergent Léo Gariépy du First Hussars investit la Kommandantur. Sur la rive droite de l'estuaire de la Seulles est posé sur un socle un char Sherman DD (Duplex Drive), un engin de 32 tonnes coulé le 6 juin rappelant le débarquement de la 2ᵉ brigade blindée canadienne et dédié à Léo Gariépy. Plus loin, au bord de la Seulles, demeure une pièce allemande munie de son canon et placée dans son encouvement en béton.

L'embouchure de la Seulles va abriter dès le 8 juin le premier port allié de ravitaillement avant l'achèvement du

Soldats et chars canadiens à Courseulles-sur-Mer.

Char Sherman DD à Courseulles-sur-Mer.

39

Croix de Lorraine à la tombée de la nuit.

port artificiel d'Arromanches : 2 000 tonnes d'approvisionnements y sont débarquées chaque jour. Douze navires sont coulés afin de former une rade artificielle.

A l'est de la digue, est disposé un immense glaive en bois de teck : c'est un monument dédié au Royal Winnipeg Rifles.

Graye-sur-Mer

Le Royal Winnipeg Rifles, dont les soldats sont surnommés les « diables noirs », s'empare rapidement de Graye-sur-Mer vers 9 heures. En revanche, le sanatorium, défendu par quelques artilleurs russes, résiste jusqu'au lendemain. Entre Courseulles et Graye, le général de Gaulle, venu à bord du contre-torpilleur *La Combattante*, retrouve le sol français le 14 juin 1944, accompagné entre autres des généraux Béthouart et Kœnig, et de Maurice Schumann. L'enseigne à croix de Lorraine de *La Combattante* est conservé à Courseulles. Un monument en forme de croix de Lorraine rappelle cet instant.

Arrivée de De Gaulle sur le sol français le 14 juin 1944.

41

Blockhaus et stèle-signal à Graye-sur-Mer.

Le général de Gaulle part en Jeep de la brèche de Graye et gagne le château de Creullet pour y rencontrer Montgomery débarqué quelques jours plus tôt à cet endroit. Quelques casemates allemandes subsistent sur cette plage également choisie par Winston Churchill et par le roi George VI pour débarquer respectivement les 12 et 16 juin.

Au pied de la croix de Lorraine, à la sortie de la plage, est installé un char AVRE-Churchill nommé « One Charlie » de la 79e division blindée après avoir été exhumé en novembre 1976.

Dès 17 heures le 6 juin est aménagée une salle d'opération chirurgicale

Char « One Charlie » de Graye-sur-Mer.

dans la cuisine de la colonie de vacances Sainte-Thérèse afin de s'occuper des blessés dont le nombre croissait heure par heure. Le 4 juillet, l'hôpital est transféré au sanatorium : lors du début de la bataille de Falaise, cet hôpital accueille 2 700 blessés en une seule journée.

Creully

Les soldats canadiens progressent rapidement dans l'arrière-pays, libérant au passage les villages de Tierceville, Colombiers-sur-Seulles, Sainte-Croix-sur-Mer, Banville, Villons-les-Buissons, Le Fresne-Camilly avant d'atteindre Creully. Le général Montgomery installe son premier quartier général à Sainte-Croix-sur-Mer avant de le transférer le jour même au château de Creullet, en contrebas. Creully est libéré le 7 juin vers 17 h 30 et sert de point de jonction des armées canadiennes et britanniques provenant des secteurs de Gold et de Juno.

Le château, construit entre le XIIe et le XVIe siècle, avait déjà été occupé par les Anglais en 1417. En 1944, la BBC y installe un studio pour réaliser des émissions en direct avec Londres. Sur la porte de la tour du XIIe siècle était inscrit « BBC, be silent. No entry ». L'antenne émettrice est posée dans la tour et émet chaque jour pendant les mois de juin et de juillet. Ainsi le journaliste Chester Wilmot peut couvrir la bataille de Normandie pour la BBC. Lors de la visite du château est présentée une exposition de matériel et de photographies de journalistes anglais, canadiens et français.

Depuis la terrasse, on voit le château de Creullet. Dans son parc, le général Montgomery installe du 7 au 22 juin 1944 sa roulotte-quartier général camouflée sous des meules de paille. Dans le grand salon du château, il reçoit le général de

Gaulle, le roi George VI et Winston Churchill.

Les soldats canadiens ont rempli leur objectif de s'établir sur la côte calvadosienne avec la conquête d'un port de ravitaillement, Courseulles-sur-Mer. Vingt-quatre mille hommes ont été débarqués avec 2 000 véhicules. Les pertes sont inférieures au millier. Outre cette solide tête de pont, ils ont pénétré dans l'intérieur jusqu'à Creully où ils font leur jonction avec leurs camarades britanniques débarqués à Gold Beach. Mais leur avancée vers l'est, c'est-à-dire vers Caen, va s'arrêter pendant un mois devant l'aérodrome de Carpiquet.

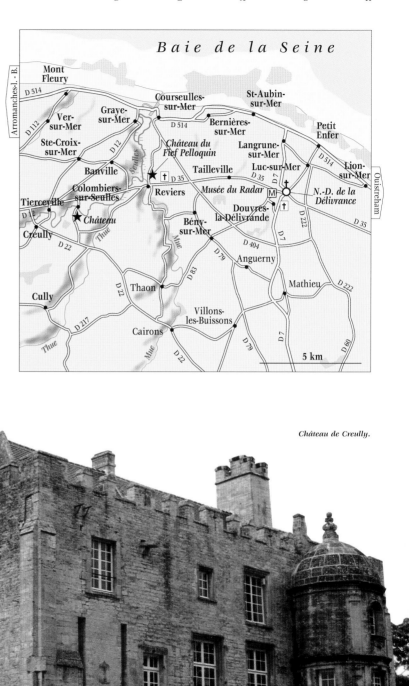

Château de Creully.

Gold Beach

Sur 5 km, sur les plages entre Ver-sur-Mer et Asnelles, débarquent à 7 h 05 25 000 hommes de la 50e division d'infanterie dite Northumbrian, accompagnés de la 8e division blindée. La Northumbrian s'est illustrée lors de la campagne de France en mai 1940, puis en 1942 à El Alamein et en Sicile en 1943. Parmi leurs motivations, il y a celle de venger la retraite de Dunkerque en 1940. Le général D.A.H. Graham a pour mission de s'établir sur les falaises dominant Arromanches et de prendre très rapidement la ville de Bayeux. Le général Graham déclare à ses soldats : « *A vous tous, officiers et soldats de la 50e division d'infanterie, est offert l'honneur insigne d'avoir été choisis pour frapper ce coup formidable pour la liberté* ». Dans le secteur de Gold, les Britanniques utilisent les « funnies » : des chars à fléau avec des chaînes placées à l'avant pétardent les mines sur la plage, d'autres peuvent détruire des casemates ou sont équipés d'un système anti-enlisement. Le tank-dozer enlève les obstacles sur les plages alors que le « crocodile » apparaît le plus terrifiant avec son tube lance-flammes. Le débarquement produit un choc émotionnel comme en témoigne le journal d'une habitante d'Arromanches, Mlle Lenglet : « *Rien n'a changé à Arromanches, mais de Saint-Côme à Courseulles on ne voyait que des bateaux, vue merveilleuse et inoubliable qui console des souffrances des dernières heures* ».

Ver-sur-Mer

Le débarquement s'effectue à 7 h 25 au hameau de la Rivière sans grande difficulté, si bien qu'une heure après, les troupes britanniques ont avancé de 1 km à l'intérieur, le nettoyage du site s'effectuant dans les heures suivantes. Les fusiliers du 5e East Yorkshire prennent ensuite le chemin de la batterie de Mont Fleury distante de 1 km. La commune de Ver-sur-Mer, décorée en 1948 de la croix de guerre, rend hommage au 2e bataillon du Hertfordshire. Le musée America Gold Beach présente l'assaut victorieux de la 69e brigade de la Northumbrian dans le secteur de King. Il rend hommage aux soldats qui débarquèrent à Ver-sur-Mer et qui libérèrent Bayeux. Le bourg abrite une maison où l'amiral Ramsay installe son quartier général. Depuis les hauteurs ou sur la route côtière à la sortie du village, on aperçoit les hautes falaises d'Arromanches.

Page de gauche :
Débarquement à Ver-sur-Mer.

Sur la digue de Ver-sur-Mer aujourd'hui.

*Vestiges de la batterie
de Mont Fleury.*

Tombe de Maurice Schumann.

Maurice Schumann (1911-1998)

*Journaliste, il rejoint de
Gaulle en 1940.
En juillet 1944, il fait
l'émission quotidienne
en français à la BBC :
il devient le porte-parole de
la France libre.
Après avoir débarqué à
Asnelles, il arrive à
Bayeux à la libération de la
ville. Ensuite, il participe
avec les FFI à la libération
de la rive droite de Caen.
Compagnon de la
Libération, il s'engage
en politique après la guerre
aux côtés du général
de Gaulle. Il est élu député,
puis sénateur ; il est
ministre des Affaires
étrangères de 1969 à 1971.
En 1974, il est élu à
l'Académie française.*

Blockhaus d'Asnelles.

A l'ouest de Ver-sur-Mer, sous le château de Mont Fleury est installée la batterie du même nom, comportant quatre pièces russes de 122 mm, deux sous casemate, deux à ciel ouvert. La portée de cette batterie est de 14 km. Au sud-est de celle-ci se trouve la batterie de la Mare Fontaine équipée de quatre pièces tchèques de 105 mm installées dans des casemates cubiques. Ces deux batteries prenant la plage de Gold sous leur feu sont détruites par les bombardements aériens et par les tirs des croiseurs *Orion* et *Belfast* et sont nettoyées au matin du 6 juin par les soldats des 6e et 7e Green Howards. Le sergent-major Stan Hollis y obtient l'unique Victoria Cross décernée le jour du débarquement. Ce soldat fait preuve d'une grande bravoure en conquérant deux blockhaus et en sauvant deux soldats sous le feu de l'ennemi. Sur le site de Mont Fleury subsistent deux casemates envahies par la végétation.

Asnelles-sur-Mer

Sur cette plage débarque le 1st Hampshire Regiment de la 231e brigade, mais tout au long de la journée du 6 juin, il se heurte à une farouche opposition des défenseurs allemands installés dans les fortins du Hamel. Le reste de la 231e brigade débarque plus à l'est et rencontre moins de résistance, les soldats russes, fort peu motivés, s'enfuyant dès les premiers tirs. Grâce à leurs funnies, les soldats britanniques dégagent le terrain, gagnent Meuvaines et occupent les points forts dominant Arromanches.

La route côtière traverse le village de Meuvaines où est installé le poste de commandement allemand de l'artillerie pour la défense du littoral. Un aérodrome de campagne y est construit. Au fond du nouveau petit cimetière, dans une tombe isolée, repose depuis 1998 le porte-parole de la France libre, Maurice Schumann.

Saint-Côme-de-Fresné

Avant d'arriver à Arromanches-les-Bains, est installée au bord de la falaise une table d'orientation offrant un très beau point de vue sur les plages de Gold à l'est et sur les vestiges du port artificiel. C'est l'emplacement d'une ancienne station radar allemande entourée d'encouvements en béton pour accueillir des pièces de DCA. Cette station radar a été implantée sur la falaise d'Arromanches avec un appareil d'exploration lointaine de type Freya, un radar de type Würzburg et deux autres plus puissants, un Mammut et un Wassermann. Leur rayon d'action porte jusqu'à 80 km, mais ces radars sont détruits par des bombardements aériens quelques jours avant le 6 juin. Après plusieurs heures de combat, Saint-Côme-de-Fresné est libérée dans l'après-midi. La table d'orientation permet d'avoir une idée précise de la disposition du port artificiel d'Arromanches par l'indication de l'emplacement des navires.

A côté de la table d'orientation, s'élève la statue de Notre-Dame-des-Flots. Déboulonnée par les Allemands afin qu'elle ne serve pas de point de

repère, elle est réinstallée après la guerre avec le regard tourné vers Arromanches, sans doute pour remercier Notre-Dame-des-Flots de sa protection au moment des opérations de débarquement.

Sur la falaise de Saint-Côme-de-Fresné subsistent des casemates allemandes.

A la sortie de cette commune est installé le poste de commandement de l'artillerie de la côte allant de Caen à Grandcamp-les-Bains.

Casemate à Saint-Côme-de-Fresné.

Notre-Dame-des-Flots.

La table d'orientation à Saint-Côme-de-Fresné.

Arromanches-les-Bains

Pour la défense de ce petit port de pêche à vocation touristique, les Allemands ont construit une casemate sur la falaise dominant Arro-

Vue aérienne du port artificiel.

Evacuation des blessés à Arromanches.

attendant la prise d'un grand port français. Depuis l'échec de l'expédition de Dieppe, il n'est plus envisageable de s'installer d'emblée dans un port. L'idée est d'en créer un.

Les deux ports artificiels, Mulberry A et B, sont préfabriqués en Angleterre et amenés sur place par remorquage à la vitesse de 7 km/h. Ils sont et demeurent un défi à la technologie. Dès le 7 juin, le port artificiel d'Arromanches ou Mulberry B, dénommé « Port Winston » en l'honneur de Winston Churchill à qui en revenait l'idée, commence à être mis en place. Dix-sept navires sont d'abord échoués au large afin de former un brise-lames de blockships nommé Gooseberry. Ensuite 115 caissons « Phoenix » représentant 500 000 tonnes de béton (chaque caisson a les dimensions suivantes : 60 m de long, 18 m de haut et 15 m de large et pèse 6 044 tonnes) et une dizaine de pontons ou têtes de jetée sont disposés afin de composer une vaste rade artificielle proposant 16 km de routes. Mulberry A situé à Vierville est affecté aux troupes américaines tandis que Mulberry B doit servir aux troupes britanniques. Mais une tempête sévissant du 19 au 22 juin détruit le port artificiel de Vierville, si bien que l'ensemble des opérations de ravitaillement est regroupé à Arro-

manches et une autre sur la falaise de Tracy-sur-Mer.

Libérée le 6 juin à 18 h 30 par voie de terre, par des chars venant de Saint-Côme-de-Fresné, cette cité est choisie par les Alliés, avec sa voisine Vierville, pour la création de deux ports artificiels destinés à ravitailler les troupes de débarquement en manches. Le travail d'assemblement dure douze jours. Dans le même temps, des routes sont tracées et les abords de la plage dégagés. Une fois terminé, l'ensemble représente une rade de 8 km de long pouvant recevoir les plus gros navires. Le 12 juin, soit six jours après le débarquement, plus de 300 000 hommes, 54 000 véhicules et 104 000 tonnes de ravitaillement ont été débarqués. Ce port a rapidement un rendement supérieur à ceux de Cherbourg ou du Havre : il voit débarquer pendant ses cent jours d'utilisation 2,5 millions d'hommes, 500 000 véhicules et 4 millions de tonnes de matériel. Le port est protégé d'une éventuelle attaque de l'aviation allemande par 150 pièces de DCA et par un barrage de ballons captifs.

De nos jours subsistent quelques pontons visibles de tous les points du littoral.

Le musée du Débarquement, inauguré le 5 juin 1954 par le président de la République, René Coty, situé devant les vestiges du port artificiel explique la construction et le fonc-

Le musée du Débarquement à Arromanches.

tionnement des ports artificiels par une maquette animée de Port Winston et par un film. Il rappelle également les différentes phases de la libération de la Normandie. Chaque nation alliée dispose d'une vitrine.

Arromanches 360, le troisième Circorama de France, présente un film de dix-huit minutes « Le prix de la liberté » sur neuf écrans dans une salle circulaire. Ce film mêle images d'archives et actuelles en plongeant le spectateur au cœur de l'action.

Arromanches et les vestiges du port artificiel.

Vue sur la mer.

Casemate, Longues-sur-Mer.

Longues-sur-Mer

Cet endroit offre un superbe champ de vision sur la mer à 65 m d'altitude et est tout naturellement choisi par les Allemands pour y installer en septembre 1943 une batterie de quatre canons de 150 mm portant à 20 km. En avant de la batterie, à 300 m, au bord de la falaise, est placé le poste d'observation.

Cette batterie est une des douze du littoral normand à ouvrir le feu sur la flotte britannique. La batterie est violemment bombardée le 28 mai et le 3 juin, mais sans effet destructeur. Malgré un nouveau pilonnage intense par 124 appareils de la Royal Air Force lâchant 600 tonnes de bombes dans la nuit du 5 au 6 juin, la batterie de Longues résiste et ouvre le feu à 5 h 37 sur deux navires de guerre américains dont le cuirassé *Arkansas*. Son champ de tir couvre les deux secteurs alliés de Gold et d'Omaha, ce qui rend cette batterie particulièrement dangereuse pour les opérations de débarquement. L'assaut décisif vient de la mer, les positions de la bat-

terie étant connues grâce aux renseignements transmis par la Résistance. Les navires de guerre *Georges-Leygues*, *Montcalm*, *Ajax* et *Arkansas* s'attelant successivement à tirer sur la batterie réussissent à détruire trois des quatre canons. La batterie est définitivement détruite peu avant 19 heures par deux tirs du cuirassé

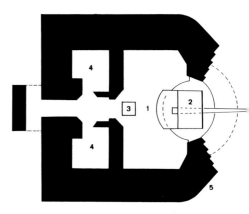

PLAN D'UNE CASEMATE
1. **Salle de tir**
2. **Canon**
3. **Fosse**
4. **Locaux pour munitions**
5. **Piédroit**

Georges-Leygues et occupée le lendemain matin après la reddition de la garnison.

Le chemin, bétonné par les Allemands, menant à la falaise permet d'avoir une vue d'ensemble de la batterie : trois des quatre casemates sont conservées avec leurs pièces d'artillerie. Chaque casemate mesure une quinzaine de mètres de longueur sur une dizaine de largeur. La dalle de couverture et les murs ont 2 m d'épais-

seur, ce qui protège les canons orientés vers la mer.

Une épaisse couche de terre dissimulait partiellement les casemates. L'ensemble était protégé par des mitrailleuses, des mines et des rideaux de barbelés. C'est la seule batterie du Mur de l'Atlantique conservée dans cet état avec ses canons dans leur chambre de tir. Au-dessus des canons, on peut voir de grosses conduites qui sont les vestiges du système de ventilation chargé d'aspirer les gaz nocifs dégagés par les tirs.

L'ensemble, qui demeure le meilleur exemple de ce qu'est une batterie d'ar-

tillerie de marine, appartient désormais au Conservatoire du littoral et est protégé par les Monuments historiques.

Depuis Longues-sur-Mer, la route côtière conduit au Chaos. On peut également s'y rendre par le sentier de la falaise commençant à partir de la tour Vauban à Port-en-Bessin. On y découvre un réseau de défenses allemandes bien conservé ainsi qu'un poste de direction de tir placé en avant de la batterie à 300 m au bord de la falaise et muni d'un télémètre pour diriger les tirs.

Ci-contre : **Vue du site de Longues-sur-Mer.**

Le chaos de Longues-sur-Mer.

Casemate avec canon.

*Restes de casemate
au-dessus de Port-en-Bessin.*

C'est aussi à partir du 25 juin le premier point de départ terrestre de PLUTO — Pipe Line Under The Ocean — provenant de cargos ancrés au large. A la fin du mois d'août, 175 000 tonnes de carburant ont été livrées, avec des pointes quotidiennes de 8 000 tonnes. Cet oléoduc, dénommé « Minor system », se réunit à celui venant de Sainte-Honorine-des-Pertes et se raccorde à Saint-Lô au « Major system » venant du port de Cherbourg.

Une plaque dédiée au 47e Royal Marine Commando est apposée sur le blockhaus placé sous la tour Vauban.

A l'entrée de Port-en-Bessin, dans le village de Commes, est ouvert un musée des épaves sous-marines. Vingt-cinq années de recherche sous la mer ont permis à Jacques Lemonchois de remonter des centaines d'épaves et divers matériels et objets personnels contenus dans les navires coulés lors du débarquement, allant des cloches des contre-torpilleurs *Isis* et *Swift* à des tubes de dentifrice.

Port-en-Bessin marque la fin du secteur britannique et le début du secteur américain, en particulier celui d'Omaha, si meurtrier.

Port-en-Bessin

Au-dessus du port de pêche, au-delà de la tour Vauban, est établi au sommet de la falaise culminant à 65 m de hauteur un ensemble de défenses allemandes.

La cité est libérée le 8 juin par le 47e Royal Marine Commando après plus d'une journée de résistance des défenseurs allemands et est transformée à partir du 14 juin en port de ravitaillement : 1 000 tonnes de matériel sont débarquées chaque jour.

Vue générale, Port-en-Bessin.

Plaque 47ᵉ RMC et tour Vauban à Port-en-Bessin.

Monument commémoratif sur le port.

Bayeux

Située à 15 km du littoral, cette ville est la seule de Normandie à avoir été totalement épargnée, étant libérée dès le 7 juin à 10 heures par les troupes britanniques. Le 12 juin, le général Eisenhower fait visiter la ville à son fils en permission. Au débouché de la voie express venant de Caen est aménagé un rond-point en hommage au chef suprême d'Overlord. Une grande statue semble accueillir les visiteurs.

Deux jours plus tard, le 14 juin, arrive le général de Gaulle. Plus de deux mille personnes, heureuses d'être libérées de quatre années d'occupation, l'acclament. Il vient mettre en place le gouvernement de la France libre avec la nomination du premier commissaire de la République, François Coulet, et du premier sous-préfet,

Dwight David Eisenhower (1890-1969)

Surnommé Ike. Adjoint de Mac Arthur au début de la guerre, il est nommé commandant en chef des armées alliées en Afrique du Nord en novembre 1942. Il va de succès en succès en Tunisie, en Sicile et en Italie. Après la conférence de Téhéran, il est nommé en décembre 1943 chef suprême des armées alliées en Europe. Ses qualités d'organisateur et de diplomate sont appréciées. Le 5 juin, il lance ce message aux soldats alliés : « The eyes of the world are upon you, the hopes and prayers of liberty loving people everywhere march with you ». *Le débarquement est un nouveau succès. Le 7 août, il pose son quartier général mobile à Maisons, puis le 9 août à Jullouville. Après la prise de Paris, il mène la bataille des Ardennes, la campagne d'Allemagne et la libération des camps. Il s'engage ensuite dans la vie politique et devient président républicain des Etats-Unis de 1952 à 1960.*
Il est reçu docteur honoris causa de l'université de Caen le jour de la pose de sa première pierre le 13 novembre 1948.

Rond-point Eisenhower à Bayeux.

*Affiche sur la venue de
De Gaulle en 1946.*

Raymond Triboulet. Ainsi le chef de la France libre affirme sa volonté d'asseoir un gouvernement français et de contrecarrer les ambitions américaines d'installer leur administration : « Je tiens à marquer sans délai qu'en tout point où l'ennemi a fui, l'autorité relève de mon gouvernement ». Sur la place dédiée au chef de la France libre est implantée une colonne avec l'inscription suivante : « En ce lieu le XIV juin

MCMXLIV / Aux habitant de Bayeux / Joyeux de leur délivrance / Charles de Gaulle / Libérateur de la Patrie / adressa ses premières paroles / sur la terre de France libérée ». Cette colonne rappelle toute la joie des Bayeusains d'être libérés.

Deux années plus tard, le général de Gaulle revient à Bayeux et y prononce son célèbre discours où se dessinent les fondements de la

*De Gaulle dans la
principale de Baye*

Constitution de la Ve République. En juin 1946, il déclare : « *Dans notre Normandie glorieuse et mutilée, Bayeux et ses environs furent témoins d'un des plus grands affrontements de l'histoire* ». Un musée mémorial est aujourd'hui dédié au général de Gaulle. Il narre les rencontres du Général avec Bayeux par des documents, des photos et des bandes filmées et sonores.

Bayeux accueille le plus grand cimetière britannique de Normandie avec 4 648 tombes ; de l'autre côté du boulevard a été construit un portique monumental où figurent 1 807 noms de disparus.

Le musée mémorial de la bataille de Normandie est implanté à la limite officielle des secteurs britannique et américain. Ce musée présente chronologiquement et par thèmes la bataille de Normandie. Il retrace avec précision toute son histoire humaine et militaire avec nombre de documents, cent mannequins et plusieurs tonnes de matériel.

Au soir du jour J, les soldats de la Northumbrian ont atteint leur objectif, occupant le littoral allant de Courseulles à Arromanches et atteignant les faubourgs de Bayeux qui est libérée le lendemain. La jonction avec les soldats canadiens ayant débarqué à Juno est réalisée à Creully, mais celle avec les soldats américains en diffi-

culté sur la plage d'Omaha se fait attendre. En attendant la mise en place du port artificiel d'Arromanches, les Alliés disposent de deux petits ports pour amorcer leur ravitaillement, Port-en-Bessin et Courseulles. Le 8 juin, Américains et Britanniques se rejoignent : ainsi deux jours après le débarquement, les Alliés contrôlent environ 60 km de littoral.

Portique du cimetière britannique de Bayeux.

Le Musée Mémorial de la Bataille de Normandie à Bayeux.

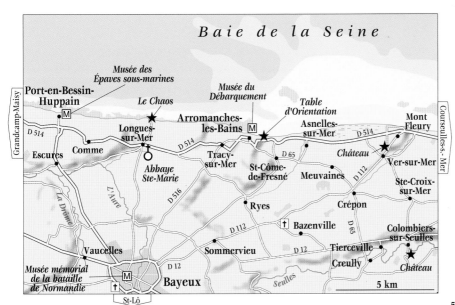

Omaha Beach

Les premières unités du général Huebner, commandant la 1re division d'infanterie surnommée « The Big Red One » débarquent sur les plages allant de Sainte-Honorine-des-Pertes (secteur Fox) jusqu'à la pointe de la Percée (secteur Charlie). Cette division est composée de soldats expérimentés ayant combattu en Afrique du Nord et en Sicile. Le secteur est aussi celui de la 29e division d'infanterie, de brigades spéciales du génie et de bataillons de rangers. Du navire amiral, le croiseur *Augusta*, Omar Bradley, commandant de la 1re armée américaine, supervise le débarquement. La mission de ces soldats américains est de prendre position sur 6 500 m de plages limitées à chaque

extrémité par des falaises hautes de 30 m et de s'établir en arrière du littoral sur une ligne Isigny-Trévières-Vaucelles, le long de la route nationale 13. Les plages de Colleville-sur-Mer, Saint-Laurent-sur-Mer et Vierville-sur-Mer sont les seules aptes à recevoir un débarquement, ce que les Allemands savent, et par conséquent sont bien défendues avec des fortins contenant des pièces antichars, des canons de 75 et 88 mm et des mitrailleuses disposés derrière des obstacles très divers, des champs de mines et des réseaux de barbelés. Elles sont dominées par des falaises calcaires entaillées par les valleuses. Enfin, ce 6 juin, la mer est particulièrement agitée, ce qui rend difficiles la navigation des péniches et la mise à l'eau des chars amphibies.

Plage d'Omaha aujourd'hui.

Page de gauche :
29e DI devant Colleville-sur-Mer,
le 6 juin 1944.

Opération de débarquement,
6 juin 1944, Omaha Beach.
Dessin de Manuel Bromberg,
artiste américain chargé d'illustrer
le théâtre des opérations.

Arrivée des péniches, 6 juin 1944.

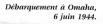

A 4 h 30, 180 péniches (Landing Craft Infantry) sont lâchées à une dizaine de kilomètres de la plage mais la mauvaise mer en fait chavirer un certain nombre. Les dix premières péniches coulent mais la plupart des soldats peuvent être sauvés. Quant à leurs camarades, trempés, gelés et malades, ils doivent attendre près de deux heures avant de débarquer. Tandis que 29 chars Sherman DD (Duplex Drive surnommé Donald Duck) amphibies coulent, les troupes améri-

caines tentent de débarquer sous un déluge de feu allemand, prises sous les feux croisés des armes automatiques et des mortiers. Ils ont environ 200 m de plage à parcourir pour trouver un abri derrière la digue. Dès que les soldats mettent le pied sur la plage, l'engagement est très dur. Compagnie après compagnie, les GI tombent en nombre. Le journal de guerre du 116e régiment témoigne : « *L'ennemi avait attendu l'instant propice. Tous nos bateaux tombèrent à la fois sous les*

Débarquement à Omaha,
6 juin 1944.

feux croisés de ses armes automatiques. Ceux des hommes qui, instinctivement, se jetèrent à l'eau pour s'y soustraire, coulèrent à pic. Alors ce fut le désordre... Quelques-uns réussirent cependant à se maintenir. Beaucoup furent blessés et se noyèrent. Rares furent ceux qui atteignirent la rive ». Les soldats allemands attendaient patiemment dans 85 petits blockhaus que les GI surnommaient « pillboxes » (boîtes à pilules). L'état-major américain ignore que la 352e division d'infanterie allemande, composée d'éléments ayant servi sur le front de l'Est, a choisi ce secteur pour effectuer ses manœuvres, ce qui double la capacité défensive des Allemands. Une heure après avoir pris pied sur la plage, la situation est inquiétante. Les soldats américains n'avancent pas. Un compte rendu du 5e corps d'armée constate à 7 h 30 la catastrophe : « Nos unités d'assaut sont en train de fondre à vue d'œil. Nos pertes

sont très élevées. Le tir de l'ennemi nous empêche de nous emparer du rivage ». Le village de Bedford en Virginie perd 23 hommes le 6 juin alors qu'il n'était peuplé que de 3 000 habitants ! Parmi eux, les deux frères Hoback, l'un tué et l'autre disparu. Bedford est maintenant jumelé avec Omaha Beach et projette de construire un mémorial.

Morts et blessés sur la plage. Dessin de Manuel Bromberg.

Omaha Beach, une longue plage de sable brun et de galets bordée de talus où poussent des herbes jaunes, devient en quelques heures *Bloody Omaha* (Omaha la sanglante). A 9 heures, la situation apparaît si critique que le général Omar Bradley envisage un moment de cesser les opérations de débarquement. Le colonel George A Taylor, commandant du 16e régiment d'infanterie, constate : « *Il y a deux sortes d'individus qui restent sur la plage ! Les morts et ceux qui vont mourir ! Foutons le camp d'ici en vitesse* ». Omar Bradley ordonne alors à la flotte de tirer à nouveau sur les défenses allemandes. Cette décision capitale permet à ses soldats de progresser enfin, d'autant que les défenseurs allemands commencent à être à court de munitions. Particulièrement courageux, les sapeurs du génie dégagent une grande partie de ce qui traînait sur la plage. Après quelques heures de combats, ils ne réussissent à établir une fragile tête de pont de 1 à 2 km de profondeur qu'au prix de 3 000 tués et autant de blessés ou disparus dans les vagues.

Ci-contre :
Omaha, 6 juin 1944.

Omar Bradley, général (1893-1981)

Adjoint d'Eisenhower en Afrique du Nord en 1943, très estimé de ses soldats, il commande le 11e corps d'armée en Tunisie et en Sicile, puis la 1re armée lors du débarquement. Bon tacticien, il met au point l'opération Cobra. Le 1er août, il est nommé à la tête du 12e groupe d'armées américain en Allemagne. Il est nommé ensuite chef d'état-major des armées des Etats-Unis. Il se retire en 1953. Il publia ses Mémoires en 1952 « A soldier's story ».

Sainte-Honorine-des-Pertes

Monument 1ʳ DI à Colleville-sur-Mer.

Cette commune, située à l'extrémité est d'Omaha, a reçu un raid de reconnaissance de douze heures dans la nuit du 12 au 13 septembre 1942 dans le cadre de l'opération Aquatint, mais la douzaine d'agents du Secret Operation Executive composant le commando sont tués. Malgré la difficulté du débarquement d'Omaha, la commune est libérée le 7 juin. Au début du mois de juillet, son petit port devient une des destinations de PLUTO afin de ravitailler en carburant les armées américaines. Cet oléoduc, dénommé « Minor system », se réunit à celui venant de Port-en-Bessin et se raccorde à Saint-Lô au « Major system » venant du port de Cherbourg.

Colleville-sur-Mer

Statue monumentale, cimetière américain de Colleville-sur-Mer.

Ce petit bourg est très touché par les obus jusqu'à sa libération le 7 juin vers 10 heures, après une conquête maison par maison. Les 1ʳᵉ et 29ᵉ divisions d'infanterie prennent pied au prix

de milliers de tués, blessés ou disparus sur la plage défendue par le point fort « Plus-kat ». Un monument, dédié à la 5ᵉ brigade du génie, a été élevé sur les restes d'un blockhaus. Au-dessus a été érigé un monument-obélisque à la 1ʳᵉ division d'infanterie américaine.

Aujourd'hui la tranquillité de la plage, propriété du Conservatoire du littoral, tranche avec l'horreur des combats du jour J.

Mais cette commune et celle de Saint-Laurent-sur-Mer sont devenues mondialement célèbres par le cimetière américain qui y est établi par *l'American battle monuments commission*. Il est inauguré en 1956 par le président de la République, René Coty, et le général Marshall. Il occupe un site de 70 ha accordé à perpétuité au gouvernement américain sur la falaise dominant la plage d'Omaha : ce fut le terrain de combats de l'aile droite de la 1ʳᵉ division d'infanterie. 9 386 soldats américains tombés en Normandie y sont enterrés. Parmi eux, 307 soldats inconnus. Les milliers de tombes en marbre blanc de Carrare parfaitement alignées sur un gazon fin donnent une impression de grandeur et de beauté. Les stèles sont en forme de croix latine ou d'étoile de David. Un père et un fils reposent l'un

près de l'autre et dans trente-trois cas ce sont deux frères.

Une chapelle circulaire est construite en pierre de Vaurion (Côte-d'Or) avec des marches en granit de Ploumanac'h (Côtes-d'Armor). La frise est ornée d'une réplique de la médaille du Congrès et l'autel est en marbre des Pyrénées. Au-dessus de l'autel, la France reconnaissante dépose une couronne de lauriers sur les soldats morts pour la liberté de l'Europe. La mosaïque du plafond, réalisée par le New-Yorkais Léon Kroll, symbolise l'Amérique bénissant ses fils partant au combat. Une capsule témoin contenant les articles de journaux parus le 6 juin 1944 y est enfermée et ne sera ouverte que le 6 juin 2044.

Le mémorial représente une colonnade semi-circulaire en pierre de Vaurion ; au centre se dresse une statue monumentale en bronze de 7 m de haut réalisée par Donald de Lue. Elle symbolise l'âme de la jeunesse américaine émergeant des flots et comporte cette inscription : « My eyes have seen the glory of the coming of Lord » (Mes yeux ont vu venir la gloire de Dieu). A gauche de ce monument est établi un belvédère dominant la plage : une table d'orientation propose un plan d'ensemble des opérations de débar-

quement et permet de comprendre les combats à Omaha Beach.

Le mur des Disparus élevé dans le jardin est un espace en arc de cercle et comporte 1 557 noms. Non loin est

La plage de Colleville-sur-Mer.

Le cimetière américain.

établi un bassin encadré de deux mâts de pavillon. Un escalier en granit permet d'accéder à un point de vue d'où l'on peut voir les falaises, la plage d'Omaha et la pointe du Hoc.

Un hommage aux soldats allemands de la 716e division d'infanterie tués à Omaha est marqué par une croix au point WN 62.

61

Vestiges sur la falaise
dominant la plage d'Omaha.

du 17 au 18 janvier 1942. Paradoxalement, cette plage est dénommée Easy lors des opérations de débarquement alors qu'elle est très difficile à conquérir. Un lieutenant crie à ses soldats : « *Allez-vous rester là pour vous faire tuer ou vous lever pour essayer de ne pas l'être ?* »

Le village est libéré le 6 juin à 13 heures. Non loin du lieu-dit « Les Moulins », où est établi un monument commémoratif, demeure un blockhaus qui sert de premier quartier général afin de commencer à organiser les échanges entre la plage et l'arrière-pays. Devant celui-ci, un monument commémore le débarquement de la 2ᵉ division d'infanterie dite « Indian Head » le 7 juin. Un mémorial dédié à cette même division est établi sur le site du Ruquet. Le premier aérodrome américain de campagne est installé près de Saint-Laurent afin de permettre l'évacuation des blessés.

Sur le front de mer est implanté, comme sur la plupart des plages du débarquement, un monument commémoratif de cet événement érigé par le Comité du débarquement.

Le musée Omaha-6 juin 1944 présente une collection d'uniformes, de véhicules, d'armes et d'insignes. On peut y voir un canon de 155 mm offert par le ministère américain des Armées.

Entre Saint-Laurent-sur-Mer et Vierville-sur-Mer, sont situés les secteurs Dog Red et Dog White : c'est là que le général Norman Cota réussit à regrouper les soldats de diverses compagnies éparpillées par l'âpreté des combats et à repartir à l'assaut des défenses allemandes.

Saint-Laurent-sur-Mer

Comme d'autres plages du Calvados, celle de Saint-Laurent-sur-Mer reçoit la visite d'un raid de reconnaissance de quinze hommes dans la nuit

Musée Omaha.

Monument-signal
de Saint-Laurent-sur-Mer.

Vierville-sur-Mer

Ce secteur d'Omaha nommé Dog Green est le plus meurtrier et le plus confus. Non seulement des péniches coulent avec tous les hommes à bord, mais les blindés subissent les tirs des canons de la pointe de la Percée. Seul un tiers des 180 soldats de la compagnie A sont encore en état, tous leurs officiers étant tués. Le village est libéré à 11 heures le 6 juin. A l'extrémité de la route qui longe la plage demeure une casemate allemande qui est un des points défensifs des soldats allemands bloquant toute

sortie de la plage par les Américains. Le blockhaus est aujourd'hui surmonté d'un monument dédié à la Garde nationale américaine pour sa participation aux deux guerres mondiales.

Des éléments de la jetée du port artificiel Mulberry A sont encore visibles à marée basse. Ce port, établi le 8 juin, est détruit lors de la tempête qui s'abat sur les côtes entre le 19 et le 22 juin. Huit cents navires vont s'échouer sur la plage. Ces caprices de la mer retardent les opérations de déchargement ; les troupes de Bradley sont menacées de se retrouver à

National Guard à Vierville-sur-Mer.

Tempête sur les Mulberries.

court de munitions et l'offensive prévue à partir du 22 sur l'Odon doit être ajournée. Malgré les dégâts, ce qui reste du port artificiel permit de débarquer jusqu'au 28 février 1945 600 000 hommes et 104 000 véhicules. Certains débris servent à réparer le port artificiel d'Arromanches.

Un petit monument en contrebas de la route rappelle que Vierville-sur-Mer fut le site du premier cimetière américain. Il porte cette inscription : « This marks the site of the first American cemetary in France of World War II since moved to American cemetary n°1 ». Les nombreux morts d'Omaha sont d'abord ensevelis à même le sable avant d'être relevés à partir du 19 juin et transférés dans le cimetière de Colleville-sur-Mer.

Le village est investi dès le 6 juin et le château servit de quartier général à l'armée américaine du 8 juin au 21 juillet.

Englesqueville-la-Percée

La route côtière mène le voyageur vers ce village qui accueillit une grande station radar nommée Igel chargée de la surveillance de l'espace maritime. La station est établie sur la pointe de la Percée, un éperon rocheux comparable à celui de la pointe du Hoc. Elle comprend un radar de type Freya spécialisé dans la surveillance de l'espace marin et de deux radars géants de type Würzburg. Dès le mois de mai 1944, les radars sont réduits au silence par les bombardements. Cet ensemble est conquis par le 2e bataillon de rangers le 7 juin. La prise du point fortifié défendu par deux canons de 77 mm est particulièrement difficile, seuls 29 des 70 rangers parvenant en haut de la falaise. Il leur faut l'appui de l'artillerie navale pour réduire les canons au silence le 6 juin vers 13 heures. Quand les rangers parviennent au point fortifié le soir, ils trouvent les corps de 69 soldats allemands.

La pointe du Hoc

Après avoir passé Saint-Pierre-du-Mont où la batterie allemande est attaquée dès l'après-midi du 5 juin et neutralisée le 7, on atteint ce site remarquable d'environ 12 ha avec son étrave en pierre s'avançant dans la mer. La falaise haute de 30 m a été puissamment fortifiée par les Allemands qui y installent une batterie équipée de six pièces d'origine française de 155 mm se trouvant dans de vastes aires circulaires à ciel ouvert. Cette disposition permet aux canons de tirer dans toutes les directions. Leur tir dirigé par un poste d'observation situé au bord de la falaise peut porter à 20 km et atteindre la côte est du Cotentin. La garnison allemande est gardée par 125 fantassins et 80 artilleurs protégés par

La pointe du Hoc vue de la falaise.

des mitrailleuses et bien abrités dans des abris reliés entre eux par des voies de communication derrière les barbelés et les mines. L'organisation Todt avait commencé l'édification de casemates en béton pour y loger les canons, mais les travaux ne sont pas achevés en juin 1944.

Vue aérienne de la pointe du Hoc.

*Rangers escaladant la pointe
du Hoc.*

aériens dans la nuit du 5 au 6 juin : 700 tonnes de bombes déversées par 124 avions en quelques minutes, et par l'envoi depuis la mer d'un déluge de bombes et d'obus : le cuirassé *Texas* tire en particulier plus de six cents salves de 356 ! Les rangers se sont spécialement entraînés à l'assaut des falaises de l'île de Wight en utilisant des grappins, des câbles, des échelles de corde extensibles et même des échelles télescopiques prêtées par les pompiers de Londres. Le 6 juin à 7 h 10, 225 rangers répartis en trois compagnies débarquent au pied de la falaise à la pointe du Hoc, que les Alliés appellent sur leurs cartes « pointe de Ho ». Mais les rangers voient leurs cordes coupées par les défenseurs allemands et sont soumis à la mitraille et aux grenades allemandes : 135 sur les 225 sont mis hors de combat lors de l'assaut. La situation demeure indécise pendant quarante-huit heures et ce n'est que le 8 juin vers midi que la batterie tombe aux mains des rangers.

Les rangers avaient étudié le site sur des photos aériennes, mais lorsqu'ils y parviennent, ils ne reconnaissent rien tant le terrain a été bouleversé par les tirs d'obus et les débris de béton enchevêtrés.

La victoire finale est obtenue avec l'appui du 116e régiment d'infanterie, auquel est rattaché le bataillon de rangers, soutenus par des blindés. Le site, conservé en l'état, reste marqué par la grande intensité des combats, mais

Ce point fort est pris d'assaut par le 2e bataillon de rangers commandé par le colonel James Rudder. L'attaque a été préparée par des bombardements

Zone bouleversée.

James Rudder

*James Rudder, surnommé
« Big Jim », était fermier,
joueur, puis entraîneur de
football américain au Texas.
A compter de juin 1943, il
commande le 2e bataillon de
rangers. Il gagne la gloire
à la pointe du Hoc et
la médaille DSC pour son
courage. Il est ensuite
promu brigadier général et
dans l'ordre de la Légion
d'honneur. Il est élu
président de l'université du
Texas après guerre.*

cette victoire est inutile, les canons ayant été démontés quelques jours auparavant et remplacés par de gros madriers ! Les six canons sont cachés à quelques kilomètres dans un verger derrière des pommiers.

C'est aujourd'hui un site de 25 ha protégé par le Conservatoire du littoral où sont toujours visibles des entonnoirs béants et des blockhaus défoncés.

Le sentier qui mène jusqu'au bord de la falaise est désormais surnommé « allée du colonel Rudder ». Des corps allemands et américains demeurent sous les gravats.

Le terrain est concédé au gouvernement américain et devient un sanctuaire militaire. A la pointe extrême est élevé un monument formé d'une simple aiguille de granit installé à la place de l'ancien poste de direction de tir. Sur une croix fichée en terre, on lit cette inscription : « Ici des combattants demeurent. La bataille, dans son chaos, les a unis pour l'éternité ».

Monuments sur la pointe du Hoc.

Vue sur le Cotentin.

Monument dédié à la Garde nationale américaine à Grandcamp-Maisy.

Grandcamp-Maisy

Les grandes marées découvrent un vaste plateau de roches calcaires sous-marines appelées Roches de Grandcamp, s'étendant sur une longueur de 8 km depuis la pointe du Hoc jusqu'à l'entrée de la baie des Veys. Le village de Grandcamp-les-Bains, aménagé en point fort défensif par les Allemands, est libéré le 9 juin. Le général Bradley y installe le quartier général de la 1re armée américaine et le général Eisenhower y séjourne du 1er au 5 juillet.

Le village de Maisy, situé en retrait du littoral, est défendu par les batteries de La Martinière et de La Perruque. Ces deux batteries contrôlent l'estuaire de la Vire, l'une avec trois pièces de 100 mm et l'autre avec six pièces de 155 mm d'une portée de 19 km. Menaçant directement le secteur d'Utah sur la côte est du Cotentin, elles sont neutralisées dans

l'après-midi du 6 juin par le croiseur *Hawkins* et occupées le 9 juin.

Un musée des rangers rend hommage à l'action de ceux-ci. A l'entrée de la commune est implanté un monument dédié à la Garde nationale.

La Cambe

Ce village est d'abord le siège d'un cimetière américain de 4 534 tombes qui sont transférées par la suite aux Etats-Unis ou dans le cimetière de Colleville-sur-Mer. Sur 2 ha s'étend aujourd'hui un cimetière allemand où reposent 21 202 corps. On y entre par un porche servant également de chapelle. Chaque nom de soldat est inscrit sur une petite stèle de pierre plantée dans l'herbe rase. Les croix de pierre sont groupées par cinq sur un gazon ras. Au milieu du cimetière se dresse un tumulus haut de 6 m surmonté d'une croix en granit flanquée de deux statues : il contient 296 corps allemands non identifiés.

Isigny-sur-Mer

Cette ville doit être conquise dès le 6 juin, mais les défenseurs allemands résistent le long de la nationale 13. La prise de cet important centre laitier situé au fond de la baie des Veys le 9 juin par la 29e division d'infanterie américaine permet la jonction entre les secteurs d'Omaha et d'Utah. Mais c'est au prix de bombardements et de lourdes destructions, la ville étant sinistrée à 60 %. Omar Bradley déclare : « *Plus de quatre ans, les gens d'Isigny avaient attendu la libération. Et maintenant, sur les ruines qui couvraient le pays, ils nous regardaient accusateurs* ». Sur la place du Général-de-Gaulle, au centre de la cité, un monument-signal du Comité de débarquement rappelle le discours que le chef de la France libre adressa à la population le 14 juin.

Au soir du 6 juin, les Américains perdent plus de 3 000 soldats, mais 30 000 sont établis sur une étroite tête de pont de 2 km de profondeur alors que 10 étaient prévus ! La puissante

et efficace artillerie de marine basée au large s'approche à 800 m du rivage et permet de débloquer une situation que Bradley croit un temps compromise. Le site d'Omaha Beach demeure à jamais le plus tragique, à l'exemple du cimetière américain de Colleville : Saint-Laurent. Omar Bradley cite ses soldats en exemple : « *Tout homme qui mit un pied à Omaha Beach ce jour-là était un héros* ». Heureusement, les jours suivants vont permettre une amélioration : le 8 juin, les soldats américains opèrent leur jonction avec leurs collègues anglais débarqués à Gold Beach.

Cimetière allemand de La Cambe.

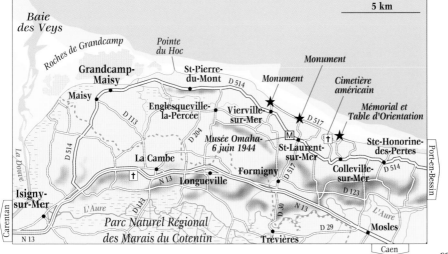

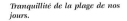

Utah Beach

C'est le cinquième et dernier secteur de débarquement du jour J, et c'est le second secteur américain, mais c'est le seul situé dans le département de la Manche. La mission du 7e corps d'armée, commandé par le général J.L. Collins, est la prise des positions littorales et l'établissement d'une solide tête de pont et celle de la 4e division d'infanterie du général R.O. Barton, dont l'adjoint est le général Teddy Roosevelt, est de s'établir sur les routes surélevées de la zone inondée et de faire la jonction avec les 82e et 101e divisions aéroportées parachutées après minuit autour de Sainte-Mère-Eglise. La 101e a pour mission de dégager le terrain entre la mer et Sainte-Mère-Eglise tandis que la 82e doit s'emparer de cette cité et des ponts sur le Merderet et sur la Douve. Afin de protéger la plage d'Utah, les parachutistes américains s'emparent très rapidement des dunes de Varreville. Une fois ces positions acquises, les troupes américaines débarquées dans les secteurs d'Utah et d'Omaha se rassemblent et en dix jours se portent vers Cherbourg, distante de 50 km.

Le secteur d'Utah joue un rôle particulier dans l'opération Overlord. Si les opérations de débarquement échouent sur l'une des plages ou même sur l'ensemble, l'état-major a prévu de se reporter entièrement sur ce secteur. La mission est alors de couper le Cotentin en deux. Il faut donc que le débarquement d'Utah réussisse. Le débarquement a lieu à 6 h 30, mais à 2 km au sud du lieu prévu. Il est de loin le moins meurtrier des cinq secteurs avec seulement 200 morts, ayant été bien préparé par un bombardement aérien suivi de tirs de navires de guerre. L'ensemble du secteur est défendu par cinq batteries, dont une très puissante à Saint-Marcouf, et par un certain nombre de fortins à Saint-Martin-de-Varreville, Audouville-la-Hubert, La Madeleine, Beau Guillot et Le Grand Vey. Vers 2 heures du matin, un millier de navires transportant 30 000 hommes et 3 500 véhicules s'approchent des plages de la côte orientale du Cotentin.

Page de gauche :
Débarquement à Utah, 6 juin 1944.

Tranquillité de la plage de nos jours.

L'église de Sainte-Mère-Église.

Sainte-Mère-Eglise

*Le clocher
avec son mannequin.*

*Insigne Airborne
« Aigles Hurlants »*

Le 6 juin, vers 1 heure du matin, 15 000 parachutistes des 82e et 101e Airborne divisions, respectivement commandées par les généraux Matthew B. Rigdway et Maxwell D. Taylor, sont largués au-dessus et autour de cette cité. Les premiers avaient l'expérience de la Sicile et de Salerne tandis que les seconds étaient inexpérimentés.

Mais le parachutage est trop imprécis, si bien que seuls 6 000 soldats sont aptes au combat. Beaucoup s'égarent, à l'exemple du général Maxwell Taylor — les plus éloignés atterrissant près de Barfleur, mais d'autres se noient, empêtrés dans leur parachute ou coulant du fait d'un lourd matériel transporté. Les survivants se rassemblent à l'aide d'un petit jouet métallique imitant le bruit du criquet. Pour le malheur de certains soldats, son bruit se confond avec celui du fusil Mauser allemand !

En envoyant ses réserves à la recherche des parachutistes dispersés, l'état-major allemand facilite le débarquement sur le littoral. Les parachutistes de la 82e Airborne sont plus précis que leurs camarades de la 101e : les trois quarts se posent dans un carré de 5 km. Ils réussissent à se rendre maîtres de Sainte-Mère-Eglise, défendue par la 91e division de la Luftwaffe, à 4 h 30, soit deux heures avant le débarquement. Cette conquête permet de couper la route nationale 13 entre Carentan et Cherbourg. Le drapeau américain qui flotte cette nuit-là sur Sainte-Mère-Eglise est le même qui avait auparavant flotté sur Naples. Les parachutistes décrochent alors leur camarade John Steele resté accroché au clocher de l'église par son parachute et blessé par les tirs allemands. Un mannequin accroché à l'église rappelle aujourd'hui cet événement.

L'intérieur de l'église présente des vitraux rappelant l'arrivée des parachutistes à Sainte-Mère-Eglise. Le vitrail situé au-dessus du portail représentant des parachutistes encadrant la Vierge est l'œuvre du maître verrier Loire sur des dessins de Paul Renaud.

Cette cité abrite les premiers cimetières américains : le cimetière n°1 avec 2 195 tombes et le cimetière n°2 avec 4 811 tombes. Dans ce dernier est inhumé le brigadier-général Roosevelt le 14 juillet. Par la suite, ces morts sont transférés à Colleville-sur-Mer ou rapatriés aux Etats-Unis.

En souvenir des actions menées par les 82e et 101e divisions aéroportées américaines, un musée des troupes aéroportées est implanté non loin de l'église. Entre autres matériels, on peut y voir un planeur de type Waco. La première pierre du bâtiment, dont le toit a la forme d'un parachute, est posée par le général Gavin en 1962. Un bâtiment voisin en forme de coupole accueille un Dakota C 47.

Vitrail de l'église.

Musée des Troupes aéroportées.

La borne 00 à La Madeleine.

*De l'hôtel de ville de
Sainte-Mère-Eglise part la
borne 0 de la Voie de la
Liberté (Liberty Highway),
inaugurée le 16 septembre
1947. La borne 00 part
de la plage d'Utah à
La Madeleine pour rejoindre
Bastogne, distante de
1 142 km.*

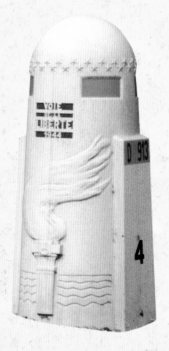

Borne à Vierville.

Ces bornes jalonnent symbolique-
ment l'itinéraire de l'armée américaine dans son avancée vers la libération de l'Europe et mènent jusqu'à
Bastogne en Belgique. Ces bornes
sont réparties en quatre secteurs :

— secteur 1 de Sainte-Mère Eglise à
Cherbourg (borne n° 58). La borne
cherbourgeoise est implantée au
débouché des quais de France et de
Normandie ;

— secteur 2 de Sainte-Mère-Eglise à
Avranches par Carentan, Saint-Lô et
Villedieu-les-Poêles ;

— secteur 3 d'Avranches à Metz ;

— secteur 4 de Metz à Bastogne.

Non loin de Sainte-Mère-Eglise, la
commune de Vierville est également
libérée le 6 juin.

Vestiges sur la plage.

Sainte-Marie-du-Mont

Cette cité, dominée par son église
romane, est occupée très tôt par les
parachutistes de la 101e Airborne
menés par le général Maxwell Taylor. Sa plage de La Madeleine est
devenue célèbre sous le nom d'Utah
Beach. Un vitrail de l'église rappelle
les épisodes de la libération du village le 6 juin.

La 4e division d'infanterie américaine débarque par erreur le 6 juin
à 6 h 30 au lieu-dit « La Grande
Dune », le lieu de débarquement
prévu se situant à 2 km au nord,
face aux dunes de Varreville. Le
général Théodore Roosevelt, âgé de
57 ans et cousin du président des
Etats-Unis, la canne dans une main,
débarque avec la première vague et
décide de poursuivre les opérations
à cet endroit. Il justifie sa présence
auprès du général Barton : « *Ça ras-
surera les gamins de me savoir auprès
d'eux* ». Le secteur de La Madeleine
est un des moins défendus, ce qui
facilite non seulement le débarquement des hommes, mais aussi celui
du matériel. Ainsi, les chars Sherman DD de 33 tonnes vont rapidement entrer en action pendant que
les bulldozers du génie nettoient la
plage. Les défenseurs allemands
sont durement ébranlés par les
bombardements préventifs : ils tentent d'envoyer des chars miniatures
Goliath remplis de 100 kg d'explo-
sifs, mais un seul explose. Un grand

obélisque, élevé grâce à une souscription des vétérans de la 4e division d'infanterie américaine, commémore l'action de ces soldats près des vestiges de casemates allemandes. A proximité, une colonne de granit rose, haute de 9 m, a été érigée « *par les Etats-Unis d'Amérique en hommage de profonde gratitude à ses fils qui ont donné leur vie pour la libération de ces plages le 6 juin 1944* ». Cette colonne est inaugurée le 5 juin 1984 par le général J.L. Collins. Un troisième monument est dédié aux soldats de la 1re brigade spéciale du génie.

Sur une proposition du général Gaffey, 59 panneaux en souvenir des morts de cette brigade du génie ont été disposés là où ceux-ci ont été tués.

Enfin, une stèle commémore le débarquement de la 90e division d'infanterie.

Panneau de la 1re brigade spéciale du génie.

Monument 90e DI.

75

Poupeville

Casemate de Beau Guillot.

Un musée du débarquement est installé dans un blockhaus du Mur de l'Atlantique.

Toutes les rues de ce hameau portent le nom de soldats ou d'officiers américains tués le 6 juin ; un vitrail de la chapelle, dû au peintre verrier Pierre Marie et dédié à sainte Madeleine, évoque les Forces françaises de l'intérieur : « *En l'an 1944, les Forces françaises libres prennent part au débarquement avec les troupes alliées* ».

Sur la route menant de La Madeleine à Sainte-Marie-du-Mont, se trouve un monument, œuvre du sculpteur danois Svend Lindhart, dédié aux 800 marins danois ayant pris part au débarquement. A moins de 1 km de La Madeleine demeure le point fortifié de Beau Guillot.

Musée du Débarquement, Sainte-Marie-du-Mont.

Poupeville

Ce petit hameau, voisin de Sainte-Marie-du-Mont, abrite un poste de commandement allemand qui ravitaille les points fortifiés du secteur.

Planeurs écrasé à Hiesville.

De ce fait, sa prise est essentielle, comme le souligne Gilles Perrault. Cette prise est cependant retardée par la dispersion des parachutistes qui sont désignés pour la réaliser. La résistance locale a préparé leur assaut en sectionnant les câbles téléphoniques. Les hommes de la 101e quittent Hiesville à 6 heures et se rendent maîtres du hameau vers 12 heures. Le pont de Poupeville est le point de rencontre entre les troupes aéroportées et celles débarquées le matin sur la plage de La Madeleine.

Hiesville

Ce village, situé à 6 km de Sainte-Mère-Eglise, est libéré le 6 juin par les parachutistes de la 101e renforcés par 32 planeurs de type Waco. Ceux-ci amènent des renforts et le matériel nécessaire à la consolidation des positions. Certains planeurs s'écrasent sur les pieux installés par Rommel. Un hôpital

est installé au manoir de Colombières. Un cimetière provisoire y est implanté avant d'être transféré dans la commune voisine de Blosville.

Blosville

Libéré le 7 juin, ce village abrite un cimetière provisoire de 5 622 tombes de soldats américains victimes de la terrible et meurtrière guerre des haies. Ceux-ci sont ensuite transférés dans le cimetière de Colleville-sur-Mer.

Picauville-Chef-du-Pont

Chef-du-Pont est un des objectifs prioritaires de la 82e Airborne avec la prise du pont sur le Merderet et est conquis après trois jours de combats le 9 juin. La 91e division de la Luftwaffe allemande établit son poste de commandement tactique au château de Picauville. Mais son commandant, le général Falley, parti vers Rennes mais

Casemate de Beau Guillot.

Entrée des Américains à Carentan.

Casemate en ruines sur la plage de Varreville.

ayant fait demi-tour, est tué dans sa voiture le 6 juin par trois parachutistes américains.

Amfréville

La zone entourant ce village est choisie par la 82e Airborne pour y atterrir, mais l'inondation des marais rend cet atterrissage difficile. Les parachutistes s'égarent et ont beaucoup de mal à se rassembler à l'aide de leurs criquets. Le village n'est libéré que le 12 juin après de durs combats.

Carentan

Cette ville est le seul point du département de la Manche où il est possible, par le gué du Grand Vey, de franchir les marais vers le Bessin. Sa libération par la 101e Airborne n'intervient que le 12 juin. La ville est bombardée dès le 6 juin au matin, mais aussi dans l'après-midi. Le 10 juin, les soldats américains tentent, en vain, de franchir les quatre ponts. La prise de la ville est marquée par le terrible combat de la chaussée de Carentan et du carré de Choux lors de l'avancée de la 502e division parachutiste le long de l'ancienne nationale 13.

Les dunes de Varreville

Ce site doit être celui d'Utah Beach, mais les péniches de débarquement dérivent sur environ 2 km à cause des forts courants dus au mau-

vais temps et arrivent sur la plage de La Madeleine.

A proximité de ce cordon littoral, le village de Saint-Martin-de-Varreville voit débarquer le 1er août le général Leclerc et sa 2e division blindée forte de 15 000 hommes et de 4 000 véhicules. Un monument de granit rose représentant la proue d'un navire armoriée d'une croix de Lorraine rappelle ce débarquement. Près du monument sont placés deux véhicules portant l'insigne de la 2e DB.

La route côtière dénommée route des Alliés longe le secteur d'Utah Beach. Les dunes sont défendues par plusieurs batteries. Celle de Saint-Martin-de-Varreville, composée de

quatre pièces de 105 mm, est bombardée dans la nuit du 5 au 6 juin, mais
les canons ont été démontés. La batterie est rapidement prise par les soldats américains.

La batterie de marine de Crisbecq
(du nom du hameau où elle se trouve) à Saint-Marcouf, la plus importante de la baie de Seine après celle
du Havre, comporte quatre pièces de
210 mm pouvant porter à 27 km,
mais seules trois sont en état de tirer.
Sa puissance de tir lui permet de cou-
ler un destroyer américain le 7 juin.
La batterie couvre un secteur allant
de la baie des Veys à Saint-Vaast-la-
Hougue. L'ensemble est défendu par
une garnison de 400 hommes équi-

pée de canons et de mitrailleuses.
Tout autour sont disposés des obstacles antichars, des mines et des
barbelés. Comme le souligne Rémy
Desquesnes, Crisbecq est le centre
de gravité de la défense allemande
sur la côte orientale du Cotentin,
mais, de ce fait, il est davantage bombardé. Dominant les plages de Ravenoville et de Saint-Germain-de-Varre-
ville, cette batterie résiste aux bombardements et aux différents assauts
des parachutistes américains et de la
4e division américaine jusqu'au 12
juin quand les Allemands décident
d'évacuer. On peut encore y voir un
colossal abri pour un canon de
210 mm. La plus grande partie des
casemates a été toutefois détruite par
les spécialistes du corps du génie :
ceux-ci les font exploser afin de tes-
ter les faiblesses éventuelles de ces
constructions.

Au lieu-dit « Les Campagnettes », à
4 km de la mer, se trouve la batterie
d'Azeville, composée de quatre pièces
de 105 mm ayant une portée de
10 km. Elle agit en soutien de la batterie de Crisbecq. Elle est conquise au
lance-flammes le 9 juin par des soldats du 22e régiment d'infanterie. On
y voit aujourd'hui deux alvéoles sur-
montées d'une cuve destinée à abriter
un canon.

Casemate de Ravenoville.

Quinéville

Cette cité marque la limite sep-
tentrionale du secteur d'Utah, mais
aussi le point extrême de l'avance
américaine dans le Cotentin au soir
du 15 juin. Ce fut de là que le roi
d'Angleterre Jacques II assista à la
bataille de La Hougue en 1692.
Dans la nuit du 25 au 26 décembre
1943, sa plage de sable fin reçoit la
visite d'un commando britannique
venu en reconnaissance. Elle est
défendue par la batterie de Morsa-

Ruines des casemates de Crisbecq.

lines équipée de six pièces de 155 mm. Pilonnée par les bombardiers alliés, elle est évacuée par les Allemands et ses canons sont déménagés à 2 km. Cette nouvelle position empêche les canons d'atteindre la plage de La Madeleine désormais trop éloignée. La plage est nettoyée le 15 juin après la prise du fort de Saint-Marcouf.

Le musée de la Liberté recrée par des reconstitutions, des photos d'époque et des objets du quotidien l'atmosphère de la vie sous l'Occupation.

Vestiges des casemates d'Azeville.

Au soir du 6 juin, les Américains ont débarqué 23 500 hommes, 1 700 véhicules et 1 800 tonnes d'approvisionnements. Malgré quelques noyaux de résistance comme Quinéville ou les positions de Saint-Marcouf ou d'Azeville, une solide tête de pont est établie et la jonction avec les 82e et 101e divisions aéroportées réalisée. Les défenses allemandes du secteur d'Utah n'offrent que peu de résistance, aussi le 6 juin vers midi, le général Bradley reçoit un message rassurant : « *Plages nettoyées, routes en construction, peu d'opposition* ». Il reste à l'ensemble de ces armées américaines à se mettre en mouvement vers le nord du département avec pour objectif de couper le Cotentin et surtout de prendre Cherbourg. Mises rapidement à l'abri de toute contre-attaque

allemande, les plages du secteur d'Utah permettent le débarquement de 836 000 hommes de quarante divisions, 220 000 véhicules et 725 000 tonnes d'approvisionnements entre les mois de juin et novembre 1944.

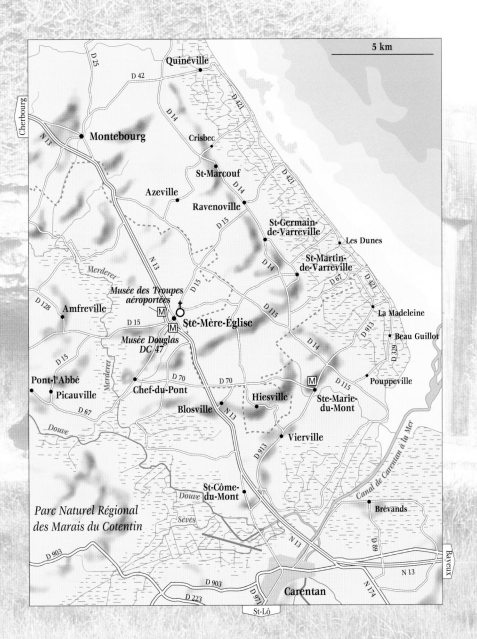

5 km

Quinéville

D 25

D 42

Cherbourg

N 13

Montebourg

Crisbec

D 14

D 421

St-Marcouf

Azeville

D 14

Ravenoville

D 15

St-Germain-
de-Varreville

Les Dunes

D 14

St-Martin-
de-Varreville

D 67

D 421

Merderet

*Musée des Troupes
aéroportées*

La Madeleine

D 128

Amfreville

M

D 15

Ste-Mère-Église

D 15

D 115

Beau Guillot

D 913

D 329

D 15

M

*Musée Douglas
DC 47*

Merderet

D 14

Pouppeville

D 115

Pont-l'Abbé

Picauville

D 70

D 70

Chef-du-Pont

Blosville

N 13

Hiesville

M

Ste-Marie-
du-Mont

D 67

Douve

Vierville

D 913

*Parc Naturel Régional
des Marais du Cotentin*

St-Côme-
du-Mont

Douve

Sèves

Brévands

Canal de Carentan à la Mer

D 903

N 13

D 89

Bayeux

D 903

N 13

D 223

D 974

Carentan

N 174

N 13

St-Lô

Le centre et le sud de la Manche

La conquête de Cherbourg est de la plus grande importance, du fait de l'intérêt stratégique et logistique du port. Une fois cette mission accomplie par le général Lawton Collins, le 26 juin 1944, les troupes américaines débarquent tout le matériel dont elles ont besoin afin de poursuivre leurs opérations. De son côté, le général Omar Bradley conçoit l'opération Cobra. L'objectif est de sortir des zones marécageuses et de percer le front allemand en direction d'Avranches. Enlisées dans la guerre des haies depuis la fin du mois de juin, les divisions américaines attaquent à partir du 25 juillet afin de percer les défenses allemandes par des bombardements intensifs détruisant nombre de villes et de villages.

La guerre des haies

Les haies touffues, les bosquets épais, les chasses étroites, les talus, les fossés et les petits chemins qui quadrillent le bocage du centre et du sud de la Manche sont inconnus des troupes américaines, composées pour l'essentiel de jeunes recrues inexpérimentées. En revanche, les soldats allemands connaissent fort bien ce bocage qu'ils pratiquent depuis quatre années. Chaque haie, chaque bosquet, chaque chemin constitue autant de pièges naturels rendant possible une guérilla meurtrière. Les défenses allemandes s'ordon-nent en trois lignes : arme automatique sur la première, mortier sur la seconde et canon sur la troisième. Quatre corps d'armée américains sont engagés dans cet enfer des haies : le 7e du général Collins entre Carentan et Périers, le 5e du général Gerow à l'est de Saint-Lô, le 8e du général Middleton entre La Haye-du-Puits et Coutances et le 19e du général Corlett entre les rivières Vire et Taute en direction de Saint-Lô. L'armement moderne dont disposent les soldats américains est inefficace : les obus ne réussissent pas à ébranler ces haies faites d'arbres touffus et de broussailles épaisses. Les blindés y circulent et y manœuvrent avec les pires difficultés. Chaque fois qu'un char tente de franchir un talus, il s'offre en cible facile à l'ennemi. En outre, le mauvais temps persistant de l'été 1944 transforme le bocage en bourbier impraticable. En

Page de gauche :
Saint-Lô en ruines.
Peinture de Pierre Campain, 1946.

Soldats américains dans les haies.

85

Convoi dans les ruines de Saint-Lô.

Soldats américains dans les haies.

fait, seuls les fantassins arrivent à progresser dans ce qui devient l'enfer des haies. Leur progression est très lente et systématique, avançant champ après champ, verger après verger, haie après haie : le 8e corps d'armée bataille pendant douze jours pour gagner seulement 11 km ! Les soldats avancent sans voir où est l'ennemi, s'exposant à ses tirs meurtriers. Les chars deviennent enfin plus efficaces grâce à l'astuce d'un sergent américain qui fixe à l'avant du char une sorte de socle tranchant en acier. Grâce à ce perfectionnement, le char est transformé en bulldozer, surnommé « Rhinocéros », et peut ainsi bousculer les haies et les bosquets et araser les talus. A la mi-juillet, les quatre armées américaines arrêtent leur lente progression tant elle coûte en vies : pour un gain de 5 km, le 8e corps d'armée perd 5 000 hommes ; quant au 19e corps d'armée, pour un gain de 10 km, il perd 6 000 hommes. La seule cité conquise est La Haye-du-Puits après sept jours de combats acharnés. Cet enfer des haies dure plus de quatre semaines jusqu'à ce que l'opération Cobra, lancée le 25 juillet, et ses tapis de bombes (Carpet Bombing) réussissent à débloquer la situation d'enlisement des armées américaines et à percer le front allemand.

Marigny - La Chapelle-Enjuger

Dans la nuit du 5 au 6 juin, afin de détourner l'attention des Allemands, la Royal Air Force parachute des mannequins bourrés de sable à Rampan, Marigny et sur la lande de Lessay. Le 13 juin, la commune de Marigny est bombardée et détruite. Quand l'opération Cobra est lancée le 25 juillet, elle entre dans la ligne de front. Soixante mille tonnes de bombes à fragmentation, au napalm ou au phosphore déversées par plus de 1 600 forteresses et 1 500 chasseurs-bom-

à 80 % et Coutances aux deux tiers. Coutances avait déjà été écrasé par deux fois sous les bombes le 6 juin, puis le 12. La ville brûle pendant plusieurs jours. Le 26 juillet, la route menant de Saint-Lô à Coutances est coupée par les Américains à Saint-Gilles. Périers et Lessay sont libérés le 27 juillet et Coutances le lendemain.

Saint-Lô

Le 6 juin la ville est bombardée. Anéantie par plus de 5 000 tonnes de bombes, elle est détruite à 90 % et devient la « capitale des ruines ». Saint-Lô était en effet un centre vital de communications et le PC du 84e Korps de l'armée allemande. Lors du bombardement du 6, la prison est écrasée, causant la mort de 42 résistants dont le sous-préfet de Cherbourg, Lionel Audigier.

Au matin du 7, Saint-Lô n'est plus que ruines, mais est toujours contrôlé par les Allemands qui en font un point de résistance à l'avancée américaine. Le 12 juillet, les soldats américains sont arrêtés sur les hauteurs entourant la ville et le long de la route reliant Saint-Lô à Lessay. Le 17 juillet, les Américains s'emparent de Pont-Hébert et occupent les collines dominant Saint-Lô. Le 18 juillet, le 115e régiment américain entre dans la ville au prix de pertes sévères. Les combats vont se poursuivre dans les ruines pendant une semaine. Le 25 juillet, le général Bradley lance l'opération Cobra : le front de la Panzer Lehr au sud de la route Périers-Saint-Lô est écrasé sous un tapis de bombes.

bardiers, écrasent les villages de La Chapelle-Enjuger, d'Hébécrevon, de Saint-Gilles et du Mesnil-Eury répartis sur seulement 12 km². La Panzer Lehr est écrasée sous les bombes, ainsi que le constate son commandant, le général Bayerlein : « *Ma ligne de front avait des airs de paysage lunaire et au moins 70 % de mes hommes étaient hors de combat, morts, blessés ou en état de choc* ». Libérée le 27, elle accueille un cimetière américain provisoire de 3 024 tombes jusqu'à l'organisation du cimetière de Colleville-sur-Mer. Non loin, 4 000 soldats allemands sont ensevelis dans des fosses communes avant la création définitive d'un cimetière situé sur les communes de Marigny et de La Chapelle-Enjuger : il contient 11 169 tombes.

Périers-Coutances

L'opération Cobra détruit villes et villages sur son passage : Périers est détruit

Entrée des soldats américains dans Saint-Lô.

Place Major-Howie à Saint-Lô.

Thomas D. Howie, major, né en Virginie en 1908

Officier des opérations de la 29ᵉ division d'infanterie américaine, il débarque à Omaha. Participant à la bataille de Saint-Lô, il est tué le soir du 18 juillet par l'explosion d'un obus ; enveloppé dans le drapeau américain, il est alors déposé par ses soldats sur les ruines de l'église Sainte-Croix. Il devient le symbole des victimes américaines et de leur sacrifice pendant la bataille meurtrière de la libération de Saint-Lô. Le poète américain Joseph Auslander lui a consacré un poème « Incident at St-Lô » : « Ils l'ont conduit, porté droit et fier et grave, à travers les portes de St-Lô ».

Monument de Beaucoudray.

Alors qu'ils ont prévu de prendre la ville une semaine après le débarquement, les Américains n'y pénètrent que quarante-trois jours plus tard. Mais cette victoire difficile va permettre au général Patton de se lancer à partir du 26 à la conquête d'Avranches.

Quand le visiteur arrive de Bayeux, il arrive sur un rond-point dédié au major Howie. Son buste de bronze symbolise le sacrifice de ces milliers de GI qui ont lutté pour la libération de la ville.

Beaucoudray

Entre Villebaudon et Beaucoudray, au lieu-dit « La Ferme du

bois » s'est réfugié le groupe de Résistance-PTT de Saint-Lô. Une imprudence les fait repérer par un groupe de soldats SS stationnés à proximité. Après un court engagement, 11 résistants sont pris le 14 juin et fusillés le lendemain dans un champ où est élevé un monument.

Les blindés américains entrent dans Avranches le 31 juillet 1944.

Avranches

Célèbre par sa bibliothèque et sa riche collection de manuscrits de l'abbaye du Mont-Saint-Michel, Avranches est bombardé pendant trois jours, les 7, 8 et 10 juin. Le 30 juillet, une centaine de véhicules allemands tentant de contre-attaquer sont détruits par l'aviation alliée.

Ce même jour, Bréhal, Gavray, La Haye-Pesnel et Sartilly sont libérés. La 3e armée du général Patton prend les Allemands à revers et libère Avranches les 30 et 31 juillet après une rapide percée. Bien que ne détenant qu'un seul pont, Patton fait passer sept divisions en trois jours. Il peut ainsi entrer en Bretagne et atteindre Rennes le 4 août.

George Patton (1885-1945)

George Patton, surnommé « Blood and guts » (Sang et tripes) par ses soldats tant à cause de son courage que de sa brutalité. Formé à l'école de la cavalerie à West Point, il combat Pancho Villa en 1916. Il est nommé aide de camp du général Pershing lors de la Première Guerre mondiale. Prônant la guerre des blindés, il montre beaucoup d'audace lors du débarquement en Afrique du Nord en 1942 et commande la 7ᵉ division en Sicile. Mais, giflant un soldat, il tombe en disgrâce et son collègue Bradley est choisi pour mener les combats en Normandie. Il est chargé de commander l'armée fantôme lors de l'opération Fortitude avant d'être appelé en juillet 1944 en Normandie. Le 1ᵉʳ août, sa 3ᵉ armée entre dans la bataille par la percée d'Avranches, puis fonce sur Paris et les Ardennes. En mars 1945, il est à Trèves, puis entre en Autriche et en Tchécoslovaquie : il fond en larmes à la découverte des camps de concentration. Nommé gouverneur de Bavière, il est relevé pour propos antisoviétiques. Il publie ses Mémoires, « War as I knew it », et meurt dans un accident de voiture le 21 décembre 1945.

Monument Patton à Avranches.

Un monument dédié au général Patton se dresse à l'endroit précis où il séjourna. Le square où il est situé est territoire américain ; la terre et les arbres ont été apportés des Etats-Unis.

Un musée de la Seconde Guerre mondiale, installé au Val-Saint-Père, raconte la percée d'Avranches. Le rez-de-chaussée montre le côté allemand tandis que le premier étage est consacré au côté allié. Ce musée conserve la cloche ayant sonné l'alerte le 6 juin à la pointe du Hoc.

Saint-James

Libéré le 1ᵉʳ août en même temps que Pontorson et Tessy-sur-Vire, ce village accueille l'un des deux cimetières américains implantés en Basse-Normandie. A 2 km au sud-est reposent 4 410 soldats de la 3ᵉ armée américaine dans un cadre de verdure de 12 ha. Les petites croix de marbre sont dominées par une chapelle au clocher en têtière. Dans cette chapelle mémorial se trouve une collection de drapeaux, et des vitraux, des insignes et des cartes rappellent les événements de 1944.

Huisnes-sur-Mer

A quelques kilomètres de l'abbaye du Mont-Saint-Michel, miraculeusement préservée des destructions de la guerre, dominant la baie est établi un ossuaire allemand. Soixante-huit alvéoles abritent depuis 1963 les restes de 11 956 soldats. Au centre se trouve un espace vert d'où s'élève une croix.

Mortain

Cette petite ville est le centre de la dernière, mais terrible, contre-attaque allemande afin de couper l'avance des armées américaines. L'opération Lütticch, voulue par Hitler contre l'avis du successeur de von Rundstedt, von Kluge, qui aurait préféré se retirer vers la Seine, lance une contre-attaque le 7 août avec huit des neuf divisions blindées sta-

Cimetière américain de Saint-James.

tionnées en Normandie. Les Allemands réussissent à reprendre Saint-Jean-du-Corail, mais échouent devant Barenton. Le lendemain, entre Gathemo et Saint-Barthélemy, les chasseurs bombardiers de la Royal Air Force attaquent les chars allemands. La 4e division du général Barton résiste avant de les prendre en tenailles, reprenant Saint-Jean-du-Corail le 11 août. Mortain s'écroule sous les bombardements répétés, en particulier celui du 12 août par la Luftwaffe, jour de sa libération après un corps à corps dans les ruines de la ville. Celle-ci, à l'exemple d'autres communes du Mortainais, est sinistrée à 84 %.

La prise de Mortain achève la libération complète du département de la Manche. Elle s'est faite au prix de milliers de morts civils et militaires, américains et allemands. La guerre des haies fait plus de 12 000 morts. Lors du déclenchement de l'opération Cobra, la division blindée d'élite allemande, la Panzer Lehr, perd plus de 1 000 hommes en deux jours. La technique du « Carpet Bombing » ou

tapis de bombes exécuté par plus de 3 000 avions, permet aux Alliés d'emporter la décision. Déclenchée le 25 juillet, l'opération Cobra conduit les armées américaines le 30 à Avranches. La percée de la 1re armée américaine va être rapidement exploitée par le général Patton, commandant la 3e armée.

Chapelle mémorial de Saint-James.

C h e r b o u r g

Tout au nord de la presqu'île du Cotentin, la ville de Cherbourg occupe un golfe évasé barré par une grande digue délimitant une vaste rade artificielle. Débarquées à Utah Beach le 6 juin, les troupes américaines ont pour objectif de s'emparer de Cherbourg en dix jours. Mais leur marche bute sur une résistance allemande acharnée derrière les haies du bocage et devant chaque ville sur la route de Cherbourg : chaque position doit être conquise après de durs combats. L'état-major américain engage la 82ᵉ division aéroportée, les 4ᵉ, 9ᵉ, 79ᵉ et 90ᵉ divisions d'infanterie. Leur progression est particulièrement difficile, conquérant successivement Chef-du-Pont le 10 juin, Pont-l'Abbé le 13 juin, Orglandes, Néhou, Saint-Sauveur-le-Vicomte le 17 juin, Saint-Jacques-de-Néhou et Barneville le 18 juin. A cet instant, la presqu'île du Cotentin est coupée en deux. Le général Collins mène son offensive avec son énergie habituelle et l'appoint de trente bataillons.

Valognes

Le petit « Versailles normand » est bombardé pendant trois jours de suite, les 6, 7 et 8 juin. De nombreux hôtels particuliers sont détruits et la ville est sinistrée à 75 %. Quand Valognes est libéré le 20 juin, les soldats américains du 8ᵉ régiment d'infanterie du colonel Van Fleet pénètrent dans une cité en ruines et désertée par sa population survivante.

Auparavant, ils lancent une offensive sur Orglandes afin d'isoler le nord du Cotentin : les combats durent du 15 au 17 juin, ce qui atteste de l'acharnement de la résistance allemande. Près de ce village est implanté un cimetière allemand de 10 152 tombes. Y reposent les soldats allemands tombés au cours des combats du Cotentin. Les noms figurent sur de petites croix de pierre plantées dans un gazon.

Page de gauche :
Soldats américains contemplant la ville de Cherbourg du haut du Fort du Roule.

Valognes en ruines.

*Saint-Sauveur-le-Vicomte
en ruines. Peinture de Pierre
Campain, 1946.*

Montebourg

Un vieux dicton dit : « Qui tient Montebourg tient Cherbourg ». Son application donne lieu à de terribles combats entre les troupes américaines et allemandes. La ville est bombardée à partir du 6 juin et le bombardement le plus dur intervient le 8 juin. A la suite de ces bombardements, les soldats américains se lancent à l'assaut de la ville le 12 juin. Une farouche résistance allemande amène ceux-ci à répéter les assauts les jours suivants. La ville change plusieurs fois de mains avant d'être définitivement libérée le 19 juin à 3 heures du matin. Butant devant Montebourg, le général Joseph Lawton Collins annonce le 15 juin que *« le but principal du corps d'armée doit être maintenant de couper la presqu'île »*. L'objectif est réalisé le 18 juin. La progression est alors très rapide : les 30 km entre Bricquebec et Les Pieux sont couverts en deux jours. Les troupes américaines progressent vers l'ouest par Nehou et vers le sud par Saint-Sauveur-le-Vicomte qui est sinistré à 75 %.

La prise de La Haye-du-Puits le 9 juillet va être particulièrement sanglante et reçoit le surnom de « Bloody Hill ». L'assaut du Mont Castre le 8 juillet va causer la mort de 2 000 soldats. Une fois le verrou de Montebourg sauté, la porte du Val de Saire s'ouvre. Le 20 juin au soir, les troupes du général Manton Eddy arrivent devant Cherbourg, prêtes à conquérir ce port si nécessaire à la poursuite des opérations.

Le Val de Saire dispose d'installations de défense comme les batteries de La Pernelle. Implantées sur un piton de 123 m de hauteur, ces batteries, équipées de canons de 170 mm ayant une portée de 30 km, embrassent tout l'horizon marin depuis le cap de La Hague jusqu'à Utah Beach. Les avions alliés y larguent 668 tonnes de bombes le 6 juin. Préférant que les canons ne tombent pas entre les mains des Américains, les Allemands les sabordent le 19 juin. Les ouvrages de la station radar de Saint-Pierre-Eglise demeurent intacts. Ils sont protégés par la plus puissante batterie de la presqu'île du Cotentin, la batterie Hamburg équipée de quatre canons de

Joseph Lawton Collins, général (1896-1987)

*Joseph Lawton Collins est surnommé « Lightening Joe » (Jo l'Eclair) à cause de sa rapidité d'action dans l'océan Pacifique contre les Japonais. Diplômé de West Point en 1917, il arrive en Europe la même année. Il appartient ensuite aux troupes d'occupation en Allemagne. Général en 1942, il commande la 25e division à Guadalcanal.
En décembre 1943, il est envoyé en Grande-Bretagne. Il commande le 7e corps d'armée à Utah Beach. Il prend Cherbourg, et cet excellent tacticien est le concepteur de l'opération Cobra. Chef militaire hardi, il mène le 7e corps d'armée jusqu'à l'Elbe, puis découvre les camps de concentration. Directeur de l'information au ministère de la Guerre, il devient ensuite chef d'état-major des armées de 1949 à 1953. En 1954, il est nommé ambassadeur au Sud-Vietnam, mais se retire en 1956.*

Le général Collins.

240 mm. Une force navale anglo-américaine l'attaque le 25 juin, mais l'appoint de l'aviation pour obtenir la reddition des Allemands le 28 juin est nécessaire. Il est envisagé d'installer un site de V1 à Hardinvast afin d'envoyer des bombes de 500 kg sur le sud de l'Angleterre, mais les Allemands n'auront pas le temps de construire la rampe métallique. Une vingtaine de rampes sont installées dans le Nord-Cotentin, mais elles sont rapidement détectées par la Résistance, bombardées et mises hors d'état de nuire.

Cherbourg

Le 19 juin, trois unités américaines, les 4e, 9e et 79e divisions d'infanterie, commandées par le général Joseph Lawton Collins, guidées par des résistants cherbourgeois, se lancent à l'assaut de Cherbourg. Dans le même temps, les Allemands commencent à détruire systématiquement les installations portuaires de Cherbourg. La digue du Hommet saute le 19 juin ; le 20, l'avant-port saute, des navires sont sabordés dans les passes et le port est miné. Le 21, le général von Schlieben refuse une offre de reddition.

La bataille de Cherbourg commence réellement le 22 juin par un pilonnage aérien et naval massif et se poursuit par l'encerclement de la forteresse de Cherbourg. Le 23, la gare maritime est dynamitée par l'armée allemande pendant que les Américains arrivent sur Tourlaville et encerclent Equeurdreville. La pression américaine devient si forte le 24 que les Allemands abandonnent la

destruction du port. L'attaque finale débute le 25 par un bombardement naval des défenses allemandes. Les 4e et 79e divisions américaines occupent l'est de la ville. Le 25 au soir, le général Collins lance un ultimatum au général von Schlieben. Le 26, les soldats américains investissent chaque quartier de la ville de Cherbourg. En fin de journée, la ville est libérée. Retranchés dans un abri souterrain à la lisière d'Octeville, l'amiral Henneke et le général von Schlieben, à qui Hitler et Rommel avaient ordonné de résister jusqu'à la dernière cartouche, se rendent. Avec eux, 10 000 soldats sont faits prisonniers. La capitulation officielle est signée au château de Servigny, sur la commune d'Yvetot-Bocage, où le général Collins a établi son poste de commandement. L'arsenal, l'aérodrome de Maupertuis et les forts de la grande digue tombent les jours suivants. L'ensemble du nord du Cotentin est complètement libéré le 1er juillet.

A l'hôtel de ville le 27 juin, le général Collins remet solennellement au maire un drapeau tricolore taillé dans une toile de parachute. Les importantes pertes du 7e corps attestent de la violence des combats : 2 800 tués, 3 000 disparus et 13 500 blessés.

Le Courrier de l'Air, 5 juillet 1944 : Cherbourg libérée.

*Dans le port de Cherbourg,
arrivée de matériel destiné au
front.*

Mais quand le 7e corps d'armée prend possession de Cherbourg, il trouve un port complètement dévasté, obstrué d'une centaine d'épaves et infesté de mines. Les quais sont détruits, l'arsenal ruiné, les écluses sabotées. Le premier navire pouvant entrer dans le port est un dragueur de mines britannique. Avec lui, une flottille de dragueurs américains, canadiens et anglais, les hommes-grenouilles de la Royal Navy et des scaphandriers nettoient systématiquement la rade. Ils y trouvent tous les types de mines existant à cette époque : à dépression, magnétiques ou acoustiques. Il faut ensuite renflouer les épaves. Les installations portuaires sont sommairement remises en l'état dans le temps record de quinze jours, ce qui illustre la devise du 333e régiment américain du génie : « *Le difficile, nous le faisons immédiatement ; l'impossible demande un peu plus de temps* ». Il faut cependant trois mois de travail acharné, de jour comme de nuit, pour que le port de Cherbourg soit complètement dégagé. Le 16 juillet,

les quatre premiers Liberty ships entrent dans le port. Cherbourg peut devenir le port dont les Américains ont besoin pour débarquer le matériel nécessaire à la poursuite des opérations dans le Cotentin, ce que Gilles Perrault appelle « *l'artère nourricière capitale des armées alliées* ». Le 7 septembre débarquent 23 000 soldats arrivant des Etats-Unis. A partir du 15 octobre, plus de 20 000 tonnes de matériel sont quotidiennement débarquées. Le 2 novembre, avec 133 postes à quai, Cherbourg devient le premier port du monde avec 1 million de tonnes avant d'atteindre les 2 millions de tonnes en février 1945.

Ces chiffres attestent de l'importance stratégique de Cherbourg au cœur de l'organisation alliée. L'évacuation s'effectue tantôt par les voies ferrées rapidement remises en état : le 30 août, la ligne Cherbourg-Paris est rouverte, tantôt par camions. A partir du 25 août, le front est ravitaillé en suivant la « Red Ball Express Highway », route partant de Saint-Lô pour terminer progressive-

*Contrôleur de trafic
sur la Red Ball Express Highway.*

ment à Bruxelles. Selon l'expression de Robert Lerouvillois, elle est « *la voie à sens unique la plus longue jamais mise en service dans le monde* », atteignant au maximum une longueur de 2 400 km aller et retour et acheminant 410 000 tonnes d'approvisionnements en trois mois. De Cherbourg à Saint-Lô, cette voie se confond avec la Voie de la Liberté. Cherbourg accueille également les navires-hôpitaux, ce qui permet l'embarquement de 148 000 blessés.

Querqueville, cité de l'agglomération cherbourgeoise, est le point terminal de PLUTO depuis l'île de Wight, située à 112 km.

Premier oléoduc sous-marin de l'histoire, dont l'idée revient à lord Louis Mountbatten, il ravitaille en carburant les armées à partir du 12 août. Il est essayé, sans succès, dans l'estuaire de la Severn, entre Swansea et Ilfracombe. Un second est mis en service le 21 août. Au 30 novembre, son débit est de 1 million de litres de carburant par jour. L'oléoduc suit l'avancée des armées alliées jusqu'à Dourdan ; dénommé ensuite « Major system », l'oléoduc rejoint l'Allemagne.

Montagne du Roule

La montagne du Roule domine l'agglomération cherbourgeoise à une altitude de 109 m. Robert Lerouvillois cite un ancien dicton illustrant l'importance stratégique de cette montagne : « Qui tient le Roule tient Cherbourg ». Le fort, construit au XIXᵉ siècle, est équipé d'une batterie de quatre canons de 105 mm. Pointant leurs canons dans le flanc de la falaise à 80 m d'altitude, leur portée est de 12 km. Malgré les bombardements, le fort résistait. Il faut le courage du caporal Kelly, ranger du 314ᵉ régiment d'infanterie : grimpant le long du rocher, il réussit à placer des charges explosives à l'intérieur du blockhaus et obtient ainsi la reddition des Allemands. Aussi courageux, le lieutenant Ogden, appartenant à la même division, s'avance seul sous les positions et

Fort de la montagne du Roule.

les réduit à la grenade. Après deux jours de durs et sanglants combats, ce n'est que le 25 juin à 21 h 48 que les Américains, totalement maîtres de la montagne du Roule, peuvent y planter leur drapeau.

Aujourd'hui, le fort est le siège du musée de la Libération de Cherbourg, qui est le premier musée de la bataille

Oléoduc PLUTO.

de Normandie. Il évoque les années noires de l'occupation de la France entre 1940 et 1944 sans montrer ni armes ni uniformes.

Trois semaines après le débarquement d'Utah Beach, l'objectif des armées américaines est atteint avec la prise de Cherbourg. La libération du nord du Cotentin ouvre une base sûre aux Alliés, les installe définitivement sur le continent et va leur permettre de poursuivre leurs opérations pour libérer le sud du département de la Manche. L'avancée des armées américaines depuis leur débarquement à Utah Beach s'est effectuée au prix de pertes élevées : 22 000 hommes tués, blessés ou disparus.

La bataille de Caen

L'objectif du débarquement est de s'emparer de la ville de Caen dès le 6 juin au soir, mais les armées britanniques ne réussissent pas à atteindre la capitale de la Basse-Normandie. Les troupes du général Montgomery sont arrêtées au nord-ouest et à l'ouest de Caen par une farouche résistance allemande sur la crête de Périers et sur la route nationale allant de Caen à Bayeux : quarante chars de la 21e Panzerdivision y ont pris position. Les jeunes fanatiques de la 12e SS division Panzer « Hitlerjugend », menés par le colonel Kurt Meyer, nazi convaincu, arrivés de leur base près d'Evreux, réussissent à prendre position au nord de la ville. Les armées alliées vont reprendre l'offensive à partir du 25 juin par un mouvement visant à envelopper Caen par le sud. Pour ce faire, il faut passer les rivières Odon et Orne et la bataille coûte aux armées alliées plus de 7 000 morts. L'opération Epsom est arrêtée dès le 1er juillet après avoir réussi à attirer une grande partie des divisions blindées allemandes à défaut d'avoir fait tomber la ville de Caen.

Caen

Le 6 juin à Caen, à 2 heures du matin, sonne la mille vingtième alerte depuis le début de l'Occupation. Cette alerte ne semble jamais devoir se terminer, comme l'écrit le maire adjoint de Caen, Joseph Poirier. Lors des violents bombardements des 6 et 7 juin,

le centre de la ville est détruit et incendié. Le commandant SS de la Hitlerjugend, Kurt Meyer, constate, le 7 juin : « *Caen est une mer de flammes où des civils errent à travers les ruines et les rues bloquées par les décombres ; l'air est irrespirable... Du point de vue militaire, la destruction de Caen est une folie sans nom* ». Mais ces mêmes SS qui s'affligent des destructions caennaises ont commis le jour du débarquement un crime sans nom, fusillant à partir de 10 h 30 entre 70 et 75 prisonniers dans les courettes de la maison d'arrêt. Les corps ne seront jamais retrouvés. Le 8 juin, plus de 4 500 Caennais se réfugient dans le lycée Malherbe et dans l'Abbaye aux Hommes. L'asile du Bon-Sauveur et le réfectoire de l'Abbaye sont transformés en hôpital. Tout l'ensemble, devenu un îlot sanitaire, est miraculeusement épargné.

Page de gauche :
***Eglise Saint-Pierre
au milieu des ruines.***

***Réfugiés dans le cloître
de l'Abbaye aux Hommes.***

Montgomery à la Une de Time.

Bernard Montgomery (1887-1976)

Il est blessé lors de la Première Guerre mondiale. Nommé à la tête de la 8e armée britannique le 2 novembre 1942, il bat Rommel à El Alamein, puis les armées de l'Axe en Tunisie en mai 1943. Il participe ensuite aux campagnes d'Italie et de Sicile. En janvier 1944, il devient l'adjoint d'Eisenhower et fait modifier le projet Overlord. Ses armées se battent farouchement pour la prise de Caen où son autoritarisme est un temps discuté par ses subordonnés. Il est promu Field marshal le 31 août 1944. Il commande les armées britanniques et quelques divisions américaines jusqu'à la fin de la guerre. De 1951 à 1958, il commande les forces atlantiques en Europe.

Deux semaines plus tard, leur nombre a doublé. Les bombardements continuent avec la même violence, en particulier les 13 et 14 juin. Dès le mois d'avril, le général Montgomery a prévenu que si les Allemands le devancent à Caen la ville serait bombardée : « *Si l'ennemi nous devance à Caen et que ses défenses se révèlent trop solides pour que nous puissions capturer cette ville le jour J, Caen sera pilonnée par nos bombardiers afin d'en restreindre l'utilité pour l'ennemi* ».

Tout au long du mois de juin, les assauts des armées britanniques échouent devant une ville détruite aux deux tiers. Le 7 juillet, la ville est de nouveau violemment attaquée : 450 bombardiers Lancaster et Halifax dirigés par le général Harris déversent en moins d'une heure plus de 2 500 tonnes de bombes sur la partie nord de la ville. Ce bombardement était-il nécessaire ? Pour Alexander McKee, « *les 2 500 tonnes, déversées de l'air, n'avaient eu aucun effet discriminable. Si les chefs britanniques avaient cru intimider les Allemands en tuant des Français, ils s'étaient trompés lourdement* ». C'est un massacre pour rien décidé par le général Montgomery. Eisenhower commence à parler d'un revers britannique devant Caen et Montgomery, après plusieurs échecs devant Caen, décide ce bombardement du 7 juillet. Ayant sans doute mauvaise conscience, « Monty » préfère le taire dans ses Mémoires.

Les trois quarts de la ville de Caen sont désormais détruits. Cent quinze mille soldats britanniques et canadiens se lancent dans un nouvel assaut et après deux jours de combats acharnés, des soldats canadiens peuvent pénétrer sur la rive droite le dimanche 9 juillet à 18 heures. Mais tous les ponts sur l'Orne ont été détruits par les Allemands. La rive gauche, sur laquelle se trouvent des soldats allemands de la 12e SS Panzerdivision et de la 272e division d'infanterie, n'est libérée que dix jours plus tard, mais 35 000 Caennais ont été sinistrés. La prise de Caen est l'aboutissement de l'opération Charnwood menée par le 21ᵉ groupe d'armées britannique.

Construit au-dessus du poste de commandement du général Wilhelm Richter, commandant la 716ᵉ division d'infanterie, le Mémorial pour la paix plonge le visiteur dans toute l'histoire du XXᵉ siècle. Ce poste, installé dans une carrière de calcaire, était entièrement souterrain ; il était fermé par des portes blindées. Il contenait les services administratifs de la 716ᵉ division, une salle des cartes, une station radio, un central téléphonique et diverses installations techniques. Créé à l'initiative de la Ville de Caen, le Mémorial est inauguré le 6 juin 1988 par le président de la République, François Mitterrand, et par les onze ambassadeurs des pays ayant combattu pour la paix en 1944. Sur la façade du bâtiment en pierre de Caen est gravée cette phrase de part et d'autre de la porte d'entrée : « *La douleur m'a brisée, la*

fraternité m'a relevée, de ma blessure a jailli un fleuve de liberté ».

Le Mémorial conduit le visiteur selon un parcours historique bien étudié, découpé en trois espaces et lui fait comprendre les enjeux politiques et stratégiques du XXᵉ siècle. Ce par-

Hall du Mémorial de Caen.

Le Mémorial de Caen vu de l'esplanade Eisenhower.

cours muséographique est illustré par trois espaces audiovisuels proposant deux films et une carte animée sur la bataille de Normandie. Son orientation pacifique est affirmée par une galerie des Prix Nobel de la paix. Le Parc international pour la libération de l'Europe, avec ses jardins américain et canadien, est dédié aux pays alliés.

Ruine dans la rue principale de Carpiquet.

Carpiquet

En 1941, les Allemands y construisent une piste en ciment de 1 000 m afin de faciliter le trafic de leurs avions. C'est de là que deux jeunes Caennais, Jean Hébert et Denys Boudard, volent un avion allemand et partent en Angleterre. Du fait de son intérêt militaire et stratégique, cet aérodrome est un des objectifs des armées alliées le 6 juin. Comme pour Caen, c'est un échec. Le 18 juin, l'aérodrome devient un des objectifs de l'opération Epsom ; celle-ci n'est lancée que le 25 juin, le retard provenant de la destruction du port artificiel de Vierville-sur-Mer. L'aérodrome de Carpiquet est particulière-

L'aéroport de Carpiquet sous les bombardements allemands. Aquarelle du capitaine canadien O.N. Fisher, 12 juillet 1944.

ment bien défendu par des blockhaus en béton armé, des tourelles équipées de mitrailleuses, des casemates reliées par des souterrains, des canons antichars de 75 mm et anti-avions de 50 mm. L'ensemble est entouré de nombreuses mines et de rangs de barbelés. La commune est également défendue par des canons et des mitrailleuses. La complexité et l'ampleur de ces défenses sont connues des soldats canadiens grâce aux renseignements de la Résistance française. L'objectif est dévolu aux 5 000 hommes de la 8e brigade canadienne, du Royal Winnipeg Rifles et des chars du Fort Garry Horse. Du 4 au 7 juillet, soldats canadiens et jeunes fanatiques de la

12e SS Panzer « Hitlerjugend » se livrent à de furieux combats, parfois au corps à corps, pour la prise de l'aérodrome. L'assaut est donné le 4 juillet à l'aube et la bataille fait rage sous un feu nourri d'obus tirés des deux côtés. Le premier assaut coûte 477 morts à la 8e brigade canadienne ! Bien que pris sous un déluge de mortier et d'artillerie, les Canadiens réussissent à tenir leurs positions et à repousser les contre-attaques allemandes. Le 7 juillet, la situation apparaît toutefois intenable, le nombre de morts et de blessés canadiens augmentant sans cesse. Cet enfer dure jusqu'au 9 juillet. Finalement, certaines positions sont conquises au lance-flammes.

L'abbaye d'Ardenne de nos jours.

Abbaye d'Ardenne

Les soldats canadiens prennent les communes de Buron et d'Authie le 7 juin, mais doivent repousser deux attaques des SS avant de céder. Située à 1 km de Carpiquet, l'abbaye d'Ardenne occupe un endroit stratégique par sa position dominante au-dessus de Caen. Cette abbaye, fondée au XIIe siècle par des moines prémontrés, a été fortifiée par l'organisation Todt avec l'aménagement de casemates avec des souterrains de communication, et sert de base de contre-attaque allemande contre les soldats canadiens à partir du 7 juin. Les combats pour la prise de ce site sont particulièrement durs avec l'assassinat de 18 soldats canadiens par des jeunes SS fanatiques de la 12e Hitlerjugend commandée par Kurt Meyer. Celui-ci dirige les mouvements de ses chars en allant et venant à motocyclette. La libération de l'abbaye intervient le 9 juillet lors de l'opération Charnwood. La commune d'Authie est libérée le même jour, après de sanglants combats entre soldats canadiens et SS. Le crime de l'abbaye d'Ardenne n'est malheureusement pas le seul à l'encontre de pri-

sonniers : le 8 juin, 48 soldats canadiens du Queen's Own Rifles de Toronto sont fusillés par les Allemands.

Une petite chapelle est aménagée en souvenir des soldats canadiens. Elle se compose d'une croix de bois surmontée d'une niche contenant une statue de la Vierge. Un casque d'acier de l'armée canadienne est suspendu à la croix. Les enfants d'Authie fleurissent chaque année cette chapelle.

Tourville-sur-Odon

Cette commune demeure un des hauts lieux de la bataille de l'Odon lors de l'opération Epsom lancée par le maréchal Montgomery avec 60 000 hommes, 600 chars et 700 canons. La rivière Odon coule au creux d'un vallon boisé très encaissé, ce qui la rend très difficile à franchir. Les assauts pour le passage de l'Odon causent d'importantes pertes dans les rangs britanniques. La 15e division d'infanterie écossaise libère ce village le 27 juin.

Cote 112

Cet excellent point d'observation dominant Caen revêt une grande importance stratégique. Ce secteur est délimité au sud par la vallée de l'Orne et au nord par l'Odon. A son pied se déroule la bataille de l'Odon. Le 25 juin, tout commence par un violent tir de barrage par terre et par mer afin de préparer l'attaque de la 15e division d'infanterie écossaise. Sa progression dans la boue et sous la pluie est d'autant plus difficile que la résistance des Hitlerjugend est acharnée. Le 26 juin, le pont de Tourmauville est pris, ce qui permet à la 11e division blindée britannique de monter à l'assaut de la colline. Mais cette attaque est repoussée par la 1re SS Panzer. Les Allemands regroupent trois divisions blindées le long d'une ligne allant de Gavrus à Cheux et attaquent à leur tour, mais sans succès. Les combats vont durer près d'un mois. Le 10 juillet, les Britanniques tentent une nouvelle fois de franchir l'Odon, mais échouent sur les défenses allemandes. L'infanterie légère du duc de Cornouailles l'emporte finalement le 4 août au prix de 2 000 morts. La colline change de mains dix fois.

Au carrefour des routes D8 et D36, un monument rappelle que les bataillons du Dorset et du Hampshire y furent décimés lors d'un assaut lancé depuis le château de Fontaine-Etoupefour par des Waffen SS.

Bourguébus

Cette commune est le cadre de l'opération Goodwood, lancée le 18 juillet. La conquête de la crête dominant cette commune donne lieu à de violents combats entre Britanniques et Allemands. L'attaque est préparée par un intense bombardement de 4 500 avions pilonnant le secteur pendant trois heures. Les Britanniques lancent trois divisions blindées dont celle des « Rats du désert », mais sont repoussés par trois divisions blindées allemandes : chars Tigre et Panther s'opposent aux chars Shermann et Cromwell dans ce qui reste comme le plus grand combat de chars de la bataille de Normandie. La 7ᵉ DB britannique parvient à Bourguébus le 20 juillet. Ce même jour, Montgomery interrompt l'opération Goodwood, trop coûteuse en hommes — 6 000 — et en matériel — 400 chars — pour un gain modeste de 11 km. Bourguébus comme tous les villages alentour sont sévèrement touchés et en grande partie sinistrés.

Tilly-sur-Seulles

Position en pointe, capturée à midi le 7 juin par les Reginas, Norey-en-Bessin sert de base de départ de l'opération Epsom. Au sud se trouve aujourd'hui le cimetière britannique de Norrey-Saint-Manvieu. A quelques kilomètres se déroule la bataille de Tilly. Pendant onze jours, du 8 au 19 juin, le 30ᵉ corps d'armée britannique et la Panzer Lehr s'affrontent violemment. Venue avec 190 chars, elle n'en a plus que 66 à la fin de l'affrontement. La ligne de défense allemande

a tenu, mais à quel prix ! Outre ses chars, la Panzer Lehr a perdu plus de 5 500 hommes. La commune, après avoir changé de mains une vingtaine de fois, est définitivement conquise le 19 juin par la 50ᵉ division d'infanterie britannique. Tilly-sur-Seulles abrite un cimetière de 1 224 tombes ainsi qu'un musée racontant la bataille de cette commune. Non loin, le petit hameau de Jérusalem, sur la commune de Chouain, abrite 46 tombes de soldats britanniques, dont celle du soldat Banks âgé de 16 ans !

La fin de la bataille de Caen et l'entrée des armées britanniques dans la plaine repoussent les Allemands vers Falaise et le sud du département du Calvados où va se conclure la bataille de Normandie. Les opérations Epsom et Goodwood ont permis d'obtenir ces avancées décisives.

L'église de Bourguébus, 1944.

L'église de Rocquancourt, 1944.

Le bocage calvadosien

Parallèlement à l'opération Cobra déclenchée le 25 juillet par les troupes américaines dans le sud et le centre du département de la Manche et en soutien à celle-ci, le général Montgomery lance le 30 juillet l'opération Bluecoat à partir de Caumont-l'Eventé en direction du Montpinçon et de la ville de Vire. Deux corps d'armée britanniques, le 8ᵉ et le 30ᵉ, ont pour mission de prendre respectivement Bény-Bocage et Saint-Martin-des-Besaces, avant de pousser vers Vassy. La percée britannique dans le bocage calvadosien prend de court la contre-attaque allemande sur Mortain et amorce la bataille de Falaise-Chambois.

Saint-Martin-des-Besaces

Cette commune est située à la limite des secteurs britannique et américain. Elle est encerclée le 30 juillet et libérée le 31 à 11 heures par la 11ᵉ division blindée britannique. Le musée « La percée du Bocage » raconte l'histoire des soldats britanniques et des résistants ayant participé à la libération du Bocage.

Villers-Bocage

La 7ᵉ division blindée britannique et la Panzer Lehr s'y affrontent le 13 juin. Alors qu'il entre dans la commune, un char anglais de tête explose sous le tir du char Tigre du capitaine SS Michael Wittmann. Il anéantit ainsi la plus grande partie de la colonne de chars britanniques : les « Rats du désert » sont ainsi obligés de battre en retraite, abandonnant 25 chars sur place. Cet as du combat des chars, également responsable des pendaisons de Tulle, comptait 138 victoires au début du mois d'août. Il est tué le 8 août près de Cintheaux. Habituée aux étendues désertiques facilitant des mouvements rapides, la 7ᵉ division blindée britannique réagit mal à la disposition bocagère du terrain, ce qui lui vaut un commentaire très sévère du général Dempsey après guerre : « *La 7ᵉ DB, vivant sur sa réputation, a mené cette bataille-là de façon honteuse* ». Cet épisode permit au moins de détourner les chars allemands des combats du Cotentin.

Dans la nuit du 14 au 15 juin, Villers-Bocage est violemment bombardé afin d'empêcher le regroupement des blindés allemands. Le 30 juin, un nouveau et terrible bombardement ruine cette petite ville, libérée le 4 août par la Northumbrian.

Blindés allemands dans Villers-Bocage.

Aunay-sur-Odon en ruines. Dessin d'Anthony Gross, 13 août 1944.

Aunay-sur-Odon

Ce chef-lieu de canton est également un carrefour routier et, de ce
fait, est complètement détruit par les
bombardements aériens : le premier,
le 12 juin à 7 heures du matin, puis du
12 au 15 juin. Dans les décombres, où
sont tués 200 habitants, lors de l'opération Epsom, a lieu la première
bataille de chars sur le sol normand
entre la 7e division blindée et la 10e SS
Panzerdivision. La commune anéantie est libérée le 5 août par le 8e corps
d'armée britannique.

Vue aérienne de Vire bombardée.

Non loin, la petite commune de Saint-Charles-de-Percy abrite un cimetière où reposent 792 tombes de soldats britanniques.

Mont Pinçon

Haut de 354 m, ce mont est abrupt et escarpé. L'assaut des fantassins est lancé le 6 août vers midi sur le versant ouest. Ils essuient le feu nourri des défenseurs allemands. Six chars montent vers le sommet, bientôt renforcés par les soldats du 4e Wiltshire Regiment. Leur montée est particulièrement exténuante sous le soleil et à travers les buissons. Cette bataille permet d'attirer des chars des 1re et 9e Panzerdivisions, ce qui affaiblit la pression allemande autour de Caen.

Vire

Cette sous-préfecture est un nœud de communications routières vers le sud et vers l'ouest. Du fait de cette position, Vire est presque totalement anéantie par les bombardements anglais. Le 6 juin, le centre et les carrefours des routes nationales Caen-Rennes et Paris-Granville sont détruits. Les bombardements continus anéantissent la ville et la vident de ses habitants.

Les soldats américains doivent conquérir une à une les collines dominant Vire. Deux jours de combats acharnés commencent le 5 août entre la 29e division d'infanterie américaine et la 2e SS Panzer . Après de farouches combats de rues, la ville est libérée le 7 août. Dans le même temps, le mont Pinçon est difficilement conquis. Les derniers Allemands partis le 8, les Alliés constatent que la ville a été complètement incendiée et ruinée : non seulement par leurs bombardements, mais surtout par la violence allemande.

L'opération Bluecoat permet la libération du Bocage calvadosien, mais c'est au prix de très lourdes destructions, la plupart des communes

Le bocage virois aujourd'hui.

étant complètement détruites. Le bocage, avec son relief tourmenté, empêche les grands mouvements et les combats se prolongent jusqu'à la mi-août. Thury-Harcourt est ainsi libérée le 13 août et Condé-sur-Noireau le 17 août.

111

La Poche

Toute la plaine de Caen à Falaise est le théâtre d'un vaste champ de bataille. Le 7 juillet, la 1ʳᵉ armée canadienne, commandée par le lieutenant-général Henry Crerar, lance une offensive vers le sud donnant lieu à de sanglants combats le long de l'ancienne D 158. Cette bataille amène la prise de Falaise les 16 et 17 août par les soldats canadiens. Les armées britanniques et américaines renforcées des divisions polonaises et françaises engagent la dernière grande bataille de Normandie en encerclant environ 110 000 soldats allemands dans la poche de Chambois.

Cintheaux-Langannerie

Ces deux communes, libérées les 8 et 9 août, accueillent deux cimetières. Auprès de Cintheaux est tué le 8 août le capitaine Michael Wittmann et son char Tigre ne sera retrouvé qu'en 1982. Langannerie abrite le seul cime-

Page de gauche :
Patrouille canadienne dans les ruines de Falaise.

Cimetière polonais de Langannerie.

Cimetière canadien de Cintheaux.

tière polonais de la bataille de Normandie avec 650 tombes de soldats de la 1ʳᵉ division blindée polonaise du général Maczek. Ceux-ci, équipés de chars Sherman, sont pour la première fois engagés dans la bataille de Normandie.

Cintheaux est le siège d'un des deux cimetières canadiens de Normandie. A l'écart de la commune reposent 2 959 soldats.

Falaise

Au débouché de la plaine de Caen, cette sous-préfecture devient une des villes martyres de Normandie, étant détruite à 85 % par une succession de bombardements pendant plus de deux mois. Le 7 août, les Canadiens attaquent le long de la route de Caen à Falaise lors de l'opération Totalize. Leur progression est de 7 km au soir du 8 août. Mais ils doivent abandonner au bout de deux jours à 11 km de Falaise tant la résistance des 35 chars de la 12ᵉ SS Panzerdivision est acharnée. La nuit du 13 au 14 août était lancée l'opération Tractable : 700 bombardiers lâchent 4 000 tonnes de bombes sur une ville déjà fortement éprouvée lors des

semaines précédentes. Après une difficile conquête des collines dominant la ville, la bataille pour la conquérir débute le 16 août. Deux jours d'âpres combats entre soldats canadiens et SS sont nécessaires pour obtenir sa libération complète. Le 17 au matin, des soldats canadiens de la 6e brigade entrent dans Falaise et le lendemain les fusiliers Mont-Royal chassent, avec l'appui de chars lance-flammes, les derniers Allemands de la ville.

Le musée Août 1944 raconte l'histoire de cette bataille et est remarquable par les véhicules qu'il présente, en particulier une autochenille Opel NSU, une Kubelwagen Volkswagen et un Lloyd Carrier anglais.

Ci-dessus : **Musée Août 1944 à Falaise.**
Ci-contre : **Falaise et son château de nos jours.**

115

Mémorial de Mont Ormel.

*Monument commémoratif et
donjon du château de Chambois.*

Mont Ormel

Situé à 5 km au nord de Chambois, ce mont, formé de deux collines jumelles à la cote 262, est rebaptisé « Maczuga » (Masse d'armes) par les soldats de la 1re division blindée polonaise du général Maczek qui l'enlevèrent le 19 août. Ils s'y établissent avec près de 80 chars et 1 500 hommes. Cette conquête permet aux Alliés de contrôler les deux côtés de la route allant de Chambois à Vimoutiers et surtout de dominer toute la vallée de la Dives. Toutefois, les soldats polonais demeurent séparés de leurs collègues canadiens par une petite vallée menant vers Vimoutiers. Cette brèche permet à quelques milliers de soldats allemands de s'échapper.

Un monument commémoratif domine toute la région et la vallée de la Dives ; il évoque les événements sous la forme d'un grand mur en pierre claire. Sur la cote 262 sont installés un char et une automitrailleuse.

Surplombant un site exceptionnel d'une grande beauté, le Mémorial de Mont Ormel retrace toute l'histoire de la Poche et commémore ses combats sanglants. Il présente un son et lumière de dix-sept minutes.

Chambois

Ce petit village ornais, dominé par un château du XIIe siècle et son donjon carré, est demeuré célèbre pour avoir été le théâtre de la dernière grande bataille pour la libération de la Normandie. Chambois est situé sur la principale route de la vallée de la Dives. Des hésitations alliées vont entraîner le regroupement de plus de 100 000 soldats allemands dans ce secteur. Les Alliés les encerclent, armées canadiennes et polonaises au nord, armées américaines et 2e division blindée française du général Leclerc au sud et armée britannique à l'ouest.

Le 18 août au matin, la 4ᵉ division blindée canadienne s'empare de Trun et de Saint-Lambert. Le 19 août, à 7 h 20, les troupes polonaises opèrent leur jonction avec le 395ᵉ régiment d'infanterie américain, ce qui permet de boucler la poche de Falaise-Chambois. Le lendemain, les troupes allemandes tentent de contre-attaquer, mais, au prix de sanglants combats, elles sont repoussées. Le lendemain, des parachutistes allemands réussissent à ouvrir un passage entre Saint-Lambert et Coudehard : cette voie devient le « couloir de la mort ». Le 21 août, un déluge de feu provoqué par les Spitfire et les Typhoon et par des tirs d'artillerie s'abat sur les quelques kilomètres carrés où sont encerclés les soldats allemands. Du haut du mont Ormel, les Polonais défendent avec énergie cette position et pilonnent sans discontinuer afin de repousser les assauts allemands. La bataille devient un véritable carnage où périssent hommes et animaux. Dépourvus de carburant, les Allemands essaient de fuir à pied ou à cheval dans une gigantesque bousculade. Erich Braun, de la 2ᵉ Panzerdivision, évoque plus tard ce que les soldats allemands endurent alors : « *Partout le chaos des détonations et des hommes qui appelaient à l'aide, des visages de morts crispés dans la souffrance, des officiers et des soldats les nerfs brisés, des*

véhicules en feu d'où sortaient des hurlements, des hommes devenus fous pleurant, criant, jurant, ou éclatant de rires hystériques, des chevaux hennissant de terreur, encore tenus à leurs brancards et se débattant sur des moignons de pattes arrière pour tenter de s'échapper ». Les armées polonaises et américaines réussissent à rejoindre la 2ᵉ DB du général Leclerc et la 2ᵉ division blindée britannique. Cette action permet la fermeture de la Poche et contraint les Allemands qui n'ont pas réussi à s'enfuir à la reddition. Le 21 août 1944 à midi, la bataille de Normandie est gagnée. Plus de 10 000 soldats allemands ont été tués et 40 000 à 50 000 faits prisonniers, mais environ autant ont réussi à fuir. Les Alliés subissent également des pertes importantes : ainsi, sur la colline de Montormel, seuls 114 soldats polonais sur 1 560 sont encore valides. Les champs de bataille alentour sont jonchés de cadavres d'hommes et d'animaux qui dégagent une odeur pestilentielle à cause de la chaleur.

Le 23 août, le général Eisenhower méditait sur l'horreur de cette dernière bataille : « *Il était possible pendant des centaines de mètres de ne marcher que sur des restes humains en décomposition, dans un silence pesant dans une campagne luxuriante où toute vie avait brutalement cessé* ».

La bataille de la Poche de Falaise-Chambois concluait avec succès pour les armées alliées la bataille de Normandie. Elle ouvrait également la voie vers la libération de la France avec la prise de Paris le 24 août, soit trois jours après cette défaite des armées du IIIᵉ Reich, la plus importante depuis celle de Stalingrad.

Reddition d'un détachement allemand, le 19 août 1944, à Saint-Lambert.

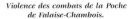

Violence des combats de la Poche de Falaise-Chambois.

Epilogue

Au long de ce voyage sur les plages du débarquement, mais aussi à l'intérieur des terres bas-normandes, chacun peut constater à chaque instant l'émotion toujours aussi vive. Ces 80 km de littoral français sont à jamais marqués par ces premiers pas de la libération de l'Europe. Cette bataille, en témoignent les cimetières de la Seconde Guerre mondiale, a tué plus de 90 000 soldats alliés et allemands. Les pertes totales (tués, disparus, blessés, prisonniers) s'élèvent à plus de 600 000 hommes (209 672 Alliés et 393 689 Allemands). Jean Compagnon souligne que « *l'étendue de la défaite allemande est, humainement et matériellement, considérable* ». Hormis les pertes humaines, les armées du IIIe Reich ont perdu 1 500 chars, 2 000 canons et 20 000 véhicules. La supériorité aérienne et navale fait la décision en faveur des Alliés, alors que le fantassin allemand se révèle beaucoup plus efficace que le soldat allié dans le combat rapproché. Le débarquement du 6 juin 1944 et la bataille de Normandie demeurent à jamais des phases décisives dans la libération de l'Europe et dans l'issue de la Seconde Guerre mondiale.

Outre ce bilan militaire, il ne faut pas oublier le bilan civil ; entre 15 000 et 20 000 morts, pour une grande part du fait des bombardements. La plupart des cités sont à reconstruire ; 120 000 immeubles ont été entièrement détruits et 270 000 endommagés. La Basse-Normandie a payé un prix très élevé pour sa libération, mais celle-ci était la clé pour la libération de l'Europe. En mai 1944, considérant l'imminence d'un débarquement dans son département, le préfet du Calvados écrit dans son rapport mensuel : « *Nul ne se fait d'illusion sur la dure épreuve que sera pour notre pays l'invasion, mais c'est la seule solution* ». En dépit de cette dure épreuve, la joie des Normands d'être libérés du joug nazi est immense. Chacun

Sourire d'enfants.

pouvait accueillir ses libérateurs avec un enthousiasme sans limites.

Le général Dwight Eisenhower tire cette conclusion de la bataille de Normandie : « *Parmi les causes de notre victoire, on doit faire entrer en ligne de compte non seulement les succès remportés sur les champs de bataille de nos troupes, mais aussi les soins et la prévoyance dont furent entourés les préparatifs du débarquement. Ce fut au souci méticuleux dans la préparation et l'organisation, que nous fûmes redevables des facteurs essentiels de réussite, tels que : degré de surprise réalisé dans le débarquement, quantités suffisantes de matériel, organisation qui présida aux exploits de nos services de ravitaillement. Nous avions espéré, il est vrai, que les développements tactiques des premiers jours nous permettraient de saisir immédiatement la région sud et sud-est de Caen qui se prêtait à l'établissement des aérodromes... et à l'utilisation de notre puissance en blindés, mais il n'est pas moins exact que, sur le plan d'ensemble de notre stratégie, nous atteignîmes la ligne que nous nous étions fixée pour J + 90 deux semaines avant cette date... Mais, de tous les facteurs qui contribuèrent à notre victoire, le plus important résida sans contredit dans les qualités des soldats, marins et aviateurs des nations unies* ».

Ci-contre :
On ressort le calva.

119

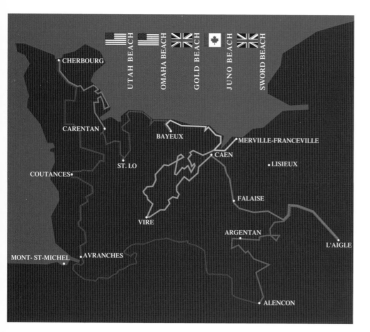

Les parcour
de la Bat

Véritable musée à ciel ouvert, l'Espace Historique de la Bataille de Normandie rassemble sur les trois départements du Calvados, de la Manche et de l'Orne l'ensemble des sites, musées et lieux de mémoire qui traitent du Jour J et de l'offensive qui s'ensuivit. Soulignés par la signature « Normandie Terre-Liberté », huit parcours chronologiques permettent de découvrir des lieux chargés d'histoire et de comprendre le déroulemnt de cette gigantesque bataille dont dépendait l'issue de la Seconde Guerre mondiale.

⚔ OVERLORD-L'ASSAUT ▶

Cet itinéraire a pour principal objectif la découverte des très nombreux lieux qui ont marqué la journée du 6 juin 1944 dans le secteur anglo-canadien depuis la rive droite de l'estuaire de l'Orne jusqu'à Bayeux.

Le visiteur passera d'abord par le célèbre Pégasus Bridge à Bénouville, puis longera toute la côte en suivant les plages du débarquement de Sword, Juno et Gold jusqu'à Arromanches, et la batterie de Longues... pour

rejoindre enfin Bayeux, première ville libérée de France.

Distance : 72 km.

⚔ D-DAY-LE CHOC ▶

Au départ de Bayeux, ce parcours longe la totalité du secteur d'Omaha jusqu'à Carentan. Il permet, en visitant des sites comme Colleville-sur-Mer et la Pointe du Hoc, d'imaginer la violence des combats et l'ampleur des pertes américaines. Omaha Beach fut d'ailleurs surnommée la « plage sanglante ».

En poursuivant ensuite la difficile progression des troupes américaines vers Saint-Lô, cité meurtrie par des bombardements intensifs, le parcours conduit alors le visiteur à travers les marais jusqu'à Carentan pour effectuer la jonction avec les troupes débarquées à Utah Beach.

Distance : 130 km.

e l'Espace Historique
lle de Normandie

OBJECTIF-UN PORT

De Carentan à Cherbourg, ce parcours fait revivre le parachutage des 82ᵉ et 101ᵉ Divisions aéroportées américaines larguées autour de Sainte-Mère-Eglise et le Débarquement sur la plage d'Utah Beach à Sainte-Marie-du-Mont. Il invite ensuite le visiteur à rejoindre Cherbourg en suivant l'itinéraire emprunté par les Alliés pour couper la presqu'île du Cotentin et conquérir le port de Cherbourg, base indispensable pour l'importation du matériel nécessaire à la réussite de l'opération.

Distance : 95 km.

L'AFFRONTEMENT

Au départ de Bénouville, cet itinéraire complète le parcours « Overlord-L'Assaut », et permet de suivre l'avancée fort difficile des troupes anglo-canadiennes et la consolidation de leur tête de pont. Entre Caen qui ne sera libérée que le 9 juillet, et Vire début août, des bourgs stratégiques comme Caumont-l'Eventé et Saint-Martin-des-Besaces... seront anéantis sous le feu de l'artillerie et de l'aviation alliée lors de l'opération « Bluecoat » (La percée du Bocage) dont l'objectif était d'appuyer à l'ouest l'offensive des troupes américaines.

Distance : 207 km.

COBRA-LA PERCEE

De Cherbourg à Avranches, le visiteur emprunte le parcours de la difficile progression des blindés alliés menés par le général Patton jusqu'à la formidable percée d'Avranches dont la libération n'interviendra que le 31 juillet. Les villes de La Haye-du-Puits, Périers et Coutances et les sites des batailles du Mont Castre, de La Chapelle-en-Juger et de Roncey montrent l'extrême difficulté rencontrée par les combattants de l'opération Cobra qui détermina le contournement des défenses allemandes retranchées en Normandie.

Distance : 174 km.

LA CONTRE-ATTAQUE

La phase décisive de la Bataille de Normandie intervient au cours de ce périple d'Avranches à Mortain, où une sanglante contre-offensive met un terme aux espérances allemandes de stopper l'avancée des Alliés.

De Mortain, l'itinéraire conduit ensuite le visiteur jusqu'à Alençon et lui permet de suivre l'axe de part et d'autre duquel les forces anglo-canadiennes au nord et américaines au sud resserreront progressivement l'étau sur les divisions allemandes.

Distance : 209 km.

L'ENCERCLEMENT

Cet itinéraire, qui va d'Alençon à L'Aigle, permet de comprendre comment s'est refermé, par le sud, le piège conçu pour encercler les forces allemandes.

Ainsi, après avoir suivi la progression de la 2e D.B. et des unités américaines remontant vers le nord, l'on découvre les sites où se déroulèrent les sanglants et déterminants combats de la Poche de Falaise-Chambois, avant de rejoindre L'Aigle, dont la libération ouvrit la route de la Seine aux armés alliées.

Distance : 162 km.

LE DENOUEMENT

Ce parcours correspond à la phase où les offensives alliées convergèrent vers ce qui fut le champ de bataille le plus déterminant de la Bataille de Normandie, la Poche de Falaise... Il suit les pas des armées britanniques, canadiennes et polonaises, en se dirigeant plein sud dans l'opération « Totalize » à la rencontre des troupes américaines et françaises (2e D.B.). Celles-ci avaient réussi la percée vers Alençon et remontaient au nord pour encercler l'armée allemande qui allait se replier après son échec sur Mortain.

Distance : 128 km.

123

1941 - août : Rencontre de Terre-Neuve
- 28 septembre : • Raid britannique à Luc-sur-Mer
  • Raid britannique à Saint-Aubin-sur-Mer

1942 - 18 janvier : Raid britannique à Saint-Laurent-sur-Mer
- 19 août : Opération Jubilee à Dieppe
- 13 septembre : Raid britannique à Sainte-Honorine-des-Pertes
- 8 novembre : Débarquement en Afrique du Nord

1943 - 24 janvier : Conférence de Casablanca
- mai : Conférence Trident à Washington
- 10 juillet : Débarquement en Sicile
- août : Conférence de Québec
- décembre : Eisenhower à la tête d'Overlord
- janvier : Débarquement à Anzio

1944 - février : Montgomery révise Overlord
- 17 mai : Eisenhower fixe la date du débarquement au lundi 5 juin
- 3 juin : Embarquement des troupes
- 6 juin : Débarquement sur les cinq plages
0 h 20 : 6ᵉ Airborne à Pegasus Bridge
0 h 30 : (vers) 101ᵉ Airborne saute sur Sainte-Mère-Eglise
2 h 30 : Libération de Ranville
82ᵉ Airborne saute sur le Cotentin
4 h 30 : Libération de Saint-Mère-Eglise
4 h 45 : Otway occupe Merville
6 h 30 : Débarquement à Omaha Beach et Utah Beach
7 h 10 : Rangers au pied de la pointe du Hoc
7 h 30 : Débarquement à Gold Beach et Sword Beach
8 h 00 : Débarquement de la 3ᵉ division canadienne à Juno Beach
8 h 30 : Bérets verts à Riva Bella
9 h 30 : Libération de Bernières-sur-Mer
11 h 00 : Libération de Vierville-sur-Mer
13 h 00 : Libération d'Ouistreham, Saint-Laurent-sur-Mer
19 h 00 : Batterie de Longues-sur-Mer neutralisée
Libération de Saint-Aubin-sur-Mer, Mauvaines, Douvres-la-Délivrande, Bény-sur-Mer, Anguerny, Tailleville, Courseulles-sur-Mer, Hermanville-sur-Mer, Graye-sur-Mer, Ver-sur-Mer, Asnelles-sur-Mer, Arromanches-les-Bains, Sainte-Marie-du-Mont, Hiesville
- 7 juin : Libération de Lion-sur-Mer, Luc-sur-Mer, Langrune-sur-Mer, Creully, Bayeux, Sainte-Honorine-desPertes, Colleville-sur-Mer, Blosville
Prise de la station radar de la pointe de la Percée
- 8 juin : Libération de Port-en-Bessin
- 9 juin : Libération de Grandcamp-les-Bains, Isigny-sur-Mer, Chef-du-Pont
- 12 juin : Arrivée de Winston Churchill, Eisenhower à Bayeux
Jonction des troupes américaines des secteurs d'Omaha et d'Utah
Libération d'Amfréville, Carentan
Prise de la batterie de Crisbecq
- 13 juin : Libération de Bréville
- 14 juin : Arrivée du général de Gaulle
- 15 juin : Libération de Quinéville
- 16 juin : Arrivée du roi George VI

- 18 juin : Presqu'île du Cotentin coupée en deux
- 19 juin : Libération de Montebourg, Tilly-sur-Seulles

Port artificiel de Vierville-sur-Mer détruit par la tempête

- 20 juin : Libération de Valognes
- 25 juin : Opération Epsom

Oléoduc PLUTO à Port-en-Bessin

- 26 juin : Libération de Cherbourg
- 27 juin : Libération de Tourville-sur-Odon
- 6 juillet : Prise de Carpiquet
- 8 juillet : Assaut du mont Castre

Opération Charnwood

- 9 juillet : Libération de La Haye-du-Puits, rive gauche de Caen, abbaye d'Ardenne
- 16 juillet : Premiers Liberty ships dans le port de Cherbourg
- 18 juillet : Libération de Saint-Lô, Hérouvillette, aérodrome de Carpiquet

Opération Goodwood

- 19 juillet : Libération de la rive droite de Caen
- 20 juillet : Britanniques à Bourguébus

Opération Cobra

- 27 juillet : Libération de Marigny, Périers
- 28 juillet : Libération de Coutances
- 30 juillet : Libération d'Avranches

Opération Bluecoat

- 31 juillet : Libération de Granville
- 1er août : Leclerc et la 2e DB débarquent à Saint-Martin-de-Varreville
- 1er août : *Libération de Saint-James*
- 5 août : Libération d'Aunay-sur-Odon
- 7 août : Libération de Vire
- 7 août : Opération Totalize
- 8 août : Libération de Cintheaux
- 9 août : Libération de Langannerie
  - 12 août : Oléoduc PLUTO à Cherbourg

Libération de Mortain

2e DB à Alençon

Monument du Musée Leclerc à Alençon

  - 14 août : Opération Tractable
  - 15 août : Débarquement en Provence
  - 17 août : Libération de Falaise, Troarn, Bures-les-Monts, Robehomme, Condé-sur-Noireau
  - 19 août : Prise du Montormel
  - 21 août : Fin de la bataille de Chambois
  - 22 août : Libération de L'Aigle
  - 23 août : Libération de Lisieux
  - 25 août : Libération de Paris

Musée « Juin 44 » à L'Aigle

Kieffer entre à Pont-l'Evêque

  - 12 septembre : Libération du Havre et fin de la bataille de Normandie
  - 2 novembre : Cherbourg premier port du monde

LES CIMETIÈRES DE LA SECONDE GUERRE MONDIALE EN BASSE-NORMANDIE

Américains
- Colleville-sur-Mer (14) 9 386 tombes
- Saint-James (50) 4 410 tombes

Britanniques
- Banneville-Sannerville (14) 2 175 tombes
- Bayeux (14) 4 648 tombes dont 466 tombes allemandes et diverses nationalités dont 7 russes
  1 807 noms de disparus sur le Mémorial
- Brouay (14) 377 tombes
- Cambes-en-Plaine (14) 224 tombes
- Chouain (14) 40 tombes
- Douvres-la-Délivrande 927 tombes et 182 tombes allemandes
- Fontenay-le-Pesnel (14) 520 tombes et 59 tombes allemandes
- Hermanville-sur-Mer (14) 986 tombes
- Hottot-les-Bagues (14) 965 tombes et 132 tombes allemandes
- Ranville (14) 2 151 tombes et 323 tombes allemandes
- Ryes-Bazenville (14) 630 tombes et 328 tombes allemandes
- Saint-Manvieu-Norrey (14) 2 186 tombes
- Secqueville-en-Bessin (14) 117 tombes et 18 tombes allemandes
- Tilly-sur-Seulles (14) 1 224 tombes et 232 tombes allemandes
- Saint-Charles-de-Percy (14) 792 tombes
- Saint-Désir-de-Lisieux (14) 469 tombes

Français
- Nécropole des Gateys (61)

Canadiens
- Bény-sur-Mer-Reviers (14) 2 043 tombes
- Cintheaux (14) 2 958 tombes

Polonais
- Langannerie (14) 650 tombes

Allemands
- La Cambe (14) 21 160 tombes
- Huisnes-sur-Mer (50) 11 956 tombes
- Marigny-La Chapelle-Enjuger (50) 11 169 tombes
- Orglandes (50) 10 152 tombes
- Saint-Désir-de-Lisieux (14) 3 735 tombes

REMERCIEMENTS

Mes remerciements à Nathalie Worthington et Franck Marie
du Mémorial de Caen, Stéphanie Martin du service Relations publiques et
Communication de la Mairie de Cherbourg,
à Christèle Collet du Mémorial de Montormel pour leur collaboration,
et à Monique pour sa relecture attentive.

BIBLIOGRAPHIE

Bataille de Normandie, Guides Gallimard, 1994.

BENAMOU (Jean-Pierre), BERNAGE (Georges) et LEJUEE (Philippe), *Pegasus Bridge 6ᵉ Airborne*, Editions Heimdal, 1993.

BERNAGE (Georges), MCNAIR (Ronald) et LEJUEE (Philippe), *Le Couloir de la mort*, Editions Heimdal, 1994.

BOUSSEL (Patrice) et FLORENTIN (Eddy), *Le Guide des plages du débarquement et des champs de bataille de Normandie*, Presses de la Cité, 1984.

COMPAGNON (Jean), *Les Plages du débarquement*, Editions Ouest-France, 1979.

COMPAGNON (Jean), *6 juin 1944 - Débarquement en Normandie - Victoire stratégique de la guerre*, Editions Ouest-France, 1984.

DESQUESNES (Rémy), Sword Beach Ouistreham ; Juno Beach Courseulles ; Gold Beach Asnelles ; Omaha Beach ; Utah Beach, Editions Ouest-France/Mémorial, 1989 ; *La Préparation du débarquement en Normandie*, Editions Ouest-France/Mémorial, 1990 ; *La Pointe du Hoc*, Editions Ouest-France/Mémorial, 1992.

DESQUESNES (Rémy), *Normandie 1944*, Editions Ouest-France/Mémorial, 1993.

DESQUESNES (Rémy) et BOURNIER (Isabelle), *La Batterie allemande de Longues-sur-Mer*, Editions Mémorial, 1993.

HENRY (Jacques), *La Normandie en flammes*, Editions Corlet, 1984.

FLORENTIN (Eddy), *Les 5 plages du 6 juin*, Guides Historia-Tallandier, 1988.

FLORENTIN (Eddy), *Stalingrad en Normandie*, Presses de la Cité, 1981.

Le Jour J et la bataille de Normandie 1944, Guide Pitkin, 1994.

KEMP (Anthony), *6 juin 1944 - Le débarquement allié en Normandie*, Gallimard/Découvertes, 1994.

LE CACHEUX (Geneviève) et QUELLIEN (Jean), *Le Dictionnaire de la libération du nord-ouest de la France*, Editions Corlet, 1994.

LECOUTURIER (Yves), *Dictionnaire du Calvados occupé*, Editions Paradigme, 1990.

LECOUTURIER (Yves), *La Situation en Basse-Normandie à la veille du débarquement*. Colloque *L'été 1944. Les Normands dans la bataille*, Archives départementales du Calvados, 1994.

LE MARESQUIER (Augustin), *La Manche libérée et meurtrie*, Entr'aide française, 1946.

LEROUVILLOIS (Robert), *Et la liberté vint de Cherbourg*, Editions Corlet, 1991.

McKEE (Alexander), *La Bataille de Caen*, Presses de la Cité, 1965.

MAN (John), *Atlas du débarquement et de la bataille de Normandie 6 juin-24 août 1944*, Editions Autrement, 1994.

POIRIER (Joseph), *La Bataille de Caen*, Caron, 1945.

QUELLIEN (Jean), *La Normandie au cœur de la guerre*, Collection Seconde Guerre mondiale, Editions Ouest-France/Mémorial, 1992.

RUPPENTHAL (Roland G.), *The European theater of operations logistical support of the armies*. Vo 1 May 1941- Sept.1944, Washington. OFF of the Chief of Military history 1953.

RYAN (Cornélius), *Le Jour le plus long*, Editions Robert Laffont, 1960.

Crédit Iconographique

Mémorial (U.S. Army, Coast Guard, E. Grunberg, J.-M. Piel, J. Blondel, Manuel Bromberg, Sean McDonald, O. N. Fisher, Abbé Hardy). Allen Jones. Patricia Canino. Yves Lecouturier. CDT Calvados (G. Rigoulet, O. Houdart). CDT Orne. Office de Tourisme d'Avranches. Mairie de Cherbourg. Mémorial de Mont-Ormel. Archives Publiques du Canada. Imperial War Museum. Bundesarchiv. Roger-Viollet. J.-L. Bourlet. Droits réservés : p. 84, 94 (h et b), 97.

Informations touristiques concernant l'Espace Historique de la Bataille de Normandie

Comité départemental du Tourisme du Calvados
Place du Canada, 14000 Caen
Tél : 02 31 27 90 30 - Fax : 02 31 27 90 35 - E-mail : calvatour@mail.cpod.fr

Comité départemental du Tourisme de la Manche
Maison du Département, 50008 Saint-Lô Cedex
Tél. : 02 33 05 98 70 - Fax : 02 33 56 07 03

Comité départemental du Tourisme de l'Orne
88 rue de Saint-Blaise - BP 50, 61002 Alençon Cedex
Tél. : 02 33 28 88 71 - Fax : 02 33 29 81 60 - E-mail : orne.tourisme@wanadoo.fr

Comité régional du Tourisme de Normandie
Le Doyenné - 14 rue Charles-Corbeau, 27000 Evreux
Tél. : 02 32 33 94 00 - Fax : 02 32 31 19 04 - E-mail : normandy@imaginet.fr - Internet : www.normandy-tourism.fr

CARTOGRAPHIE
Patrick MÉRIENNE

CONCEPTION GRAPHIQUE
TERRE DE BRUME

© 1999 - ÉDILARGE S.A. - ÉDITIONS OUEST-FRANCE, RENNES
PHOTOGRAVURE SCANN'OUEST, RENNES
ACHEVÉ D'IMPRIMER EN FÉVRIER 1999, PAR L'IMPRIMERIE POLLINA, LUÇON (85) - N° 76483
ISBN : 2.7373.2339.8   N° ÉDITEUR : 3727.01.06.02.99
DÉPÔT LÉGAL : FÉVRIER 1999